白話芥子園

第一卷·山水

[清]巢勳臨本

孫永選 劉宏偉 譯

香港中和出版有限公司
www.hkopenpage.com

編輯説明

「芥子園」本是明末清初文人李漁（1611—1680）在南京的普通住所，因他支持女婿沈心友刻印了一部學畫入門書，名之為《芥子園畫譜》，從此「芥子園」就成為學畫入門典籍的代名詞，流傳至今。

《芥子園畫譜》的創意者和主持人是沈心友，寫繪者以畫家王概、王蓍、王臬三兄弟為主，於 1679 年刊印了第一集《山水》，1701 年刊印了第二集《蘭竹梅菊》和第三集《花卉翎毛》。將近兩百年後，畫家巢勳（1852—1917）另行臨刻新版，取消原先的套色彩印，全部單色石印。説是臨摹，其實有不少畫面細節的完善；畫論文字部分則全部保留。巢勳臨本接續和弘揚了芥子園的功業，一百三十多年來，無論多麼了不起的畫家，都或多或少受到這部畫譜的影響，一般畫家就更不用説了。

黑白印刷，方便流傳，何況中國畫的根本就在筆墨

和線條。去掉烘染和色彩，世界萬物的本色更為顯明、直接，更適合初學者所用。

芥子園不僅是學畫入門書，也是中國畫的百科全書，可從中了解樹木山巒、人物房舍、昆蟲飛鳥是如何由簡入繁一步步畫出來的；圖畫之外，講解文字細緻實用，可以文圖互證，加深理解。

芥子園還是我們觀看古人生活情趣的讀本。這些聚結千年繪事經驗的程式化圖畫，不但保留了自古以來典型的外在景觀，也表達了古人普遍的內心情感。

遺憾的是，書中數萬字的講解，以文言撰寫、繁體版刻，今日讀者閱讀困難。購買此書的人，因此往往忽略文字的存在，殊不知，這些解說畫法的文字早已被俞劍華、王世襄等美術史論專家收入他們編的書中，譽為古代畫論中罕見的既專業又淺顯的技法著作。

所以，我們請古文專家將文言譯成白話，並搜羅各種版本，一圖一頁比較，選優汰劣，以手賬式小開本出版，以便初學畫者、傳統文化愛好者、關心孩子藝術素

養的家長們閱讀、使用，名之為《白話芥子園》。

　　為了方便研讀，特將翻譯成白話文的解說畫法的文字《青在堂畫學淺說》單輯成冊，讀者不妨先讀這本小冊子，然後對照圖畫體會芥子園之奧妙。

編輯部

2019 年歲末

總
目

◎青在堂畫學淺說

◎樹譜

點葉法 / 056

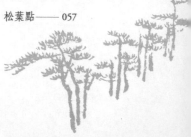

◎摹仿各家畫譜

序

　　今人喜愛真的山水與喜愛畫的山水沒有甚麼不同。
當他們把屏障陳列在面前，畫卷擺滿几案，面對高峻崢
嶸、遼遠空曠、青翠欲滴的峰巒，山泉的流水聲好像在
迴響。時而雲霧瀰漫，時而景物清明，好像置身於山峰
山谷之間。無需穿着蠟屐挂着手杖親自前往，就已體會
到了登臨的快樂。可是，只是欣賞別人的畫總不如自己
能畫。別人的畫，妙處是從外部感覺到的；自己畫，妙
處則是由內心產生的。這樣，契合於山水的深淺感受，
就一定有差距了。

　　我平生熱愛山水畫，然而只能欣賞別人的畫，卻不
能自己作畫。我曾經乘船坐車出遊，遇到過畫技可追摩
詰（譯者注：王維，字摩詰，唐代詩人、畫家）、長康（譯
者注：顧愷之，字長康，晉代畫家）的名流畫家，虛心向
他們詢問作畫方法。他們大多皺起眉頭說：「作畫方法只
可用心領會，難以形傳。」我很不理解。如今我生病有一

年時間了，不能外出遊走，坐臥室內，斷絕了人事往來。
所幸的是湖和山就在我的眼前，睡覺吃飯都面對窗外湖
山美景，得以坐臥家中卻能享受遊覽的樂趣。因此題寫
了一副對聯云：「盡收城郭歸檐下，全貯湖山在目中。」
只是遺憾不能把它們畫出來，以與枚乘《七發》裡描寫的
景物相比。於是我對女婿沈因伯（即沈心友——編者注）
說：「繪畫一事，相傳很久了。人物、禽鳥、花卉各類都
有寫生的好畫譜，怎麼到了山水這一類，就唯獨泯滅沒
有流傳呢？難道畫山水的方法確實是只可意會，不可形
傳嗎？或者是畫家自己秘藏他們的技法，不把它公之於
世呢？」因伯聽我這樣說，拿出一本畫冊說：「這是先祖
留下來的，保存已經很久了。」我看後感到很驚奇。仔
細賞玩，詳細周密，各種山水技法無不齊備，好像出自
幾十人之手。看它行間的標註解釋文字的書法，很多像
我本家長蘅（譯者注：李流芳，字長蘅，明代畫家）的手
筆，看到最後一幅，有「李氏家藏」和「流芳」的印記，
更加確信這就是長蘅的舊物。不過，這是家藏秘本，隨
意點染，沒有次序，還難以啟示後學者。因伯又拿出一
帙畫卷，笑着對我說：「以前住在金陵芥子園的時候，已
經囑託王安節（譯者注：王概，字安節，清初畫家）增訂
重輯編排次序很久了，至今已經三年，才得以完成這
件事情。」我急忙翻看，不禁拍案叫好，發出歎為觀止的
感慨。

長蘅畫冊原本總計四十三頁，分為分枝、點葉、巒頭、水口以及坡石、橋道、宮室、舟車等瑣細畫法要點，堪稱完備。安節在讀書空閒時候，分類仿摹，增補其不完善之處，擴充為一百三十三頁，又搜集歷代畫家及當代名流作品，彙聚各家之長，收錄山水全圖四十頁，作為初學者的宗法範式。其間「用墨、先後、濃淡、配合、遠近」各法，無不清晰整齊。依照這種方法作畫，以往存於眼中的景物，如今可以出於自己手腕之下了！有這種不可磨滅的奇書，卻不將它公之於世，豈不是天地之間一大缺憾？我急忙傳命製版付印，使世間那些喜歡真山水的人，都能夠享受到自己畫山水的樂趣，不必有畫師的名聲，而可以得到像顧愷之畫山水那樣的真實本領。所謂「咫尺應須論萬里」，對於只是坐看風景享受遊覽樂趣來說，不是更勝一籌嗎？

　　　　　　　時為康熙十八年，歲次乙未，冬至後三日
　　　　　　　湖上笠翁李漁[1]題於吳山層園

註釋

1.　李漁（1611—1680），號笠翁。明末清初文人，著有戲劇多種及散文《閒情偶寄》等。

青在堂畫學淺説

一

　　鹿柴氏説：論畫，有人崇尚繁，有人崇尚簡。只崇尚繁不對，只崇尚簡也不對。有人以為作畫容易，有人以為作畫難。以為難不對，以為易也不對。有人推崇有法，有人推崇無法。片面地強調有法不對，最終歸於無法更不對。先要恪守規矩，然後才能打破規矩尋求變化，所謂有法到達極致而歸向無法。比如顧愷之[1]揮灑丹粉，隨手畫出的花草氣韻生動，韓幹[2]最擅長用黃，落筆畫出的鞍馬神采飛揚。因此，有法可以，無法也可以。只有先把廢筆埋成堆，把鐵硯磨成碎泥，用十天的時間畫一段水，用五天的時間畫一塊石，然後才能像嘉陵山水畫一般筆墨純熟，構思巧妙。李思訓[3]花費數月才成稿，吳道子[4]只需一日就收筆，可見，説作畫難可以，説作畫容易也可以。只要胸中裝着五嶽，眼裡沒有全牛，讀萬卷

書，行萬里路，然後才能突破董巨[5]的門戶，進入顧陸[6]的境地。比如倪瓚[7]師法王維[8]，變山飛泉立為水淨林空。如郭忠恕[9]畫小童放風箏，一條線一筆掃過，長達數丈，而畫亭台樓閣卻如同牛毛繭絲，非常精細。可見，作畫繁也可以，簡也未嘗不可。然而，想無法必須先有法，想易必須先難，想筆法簡淨必須起手繁縟。六法、六要、六長、三病、十二忌，怎麼能忽略呢？

◎ 六法

南齊謝赫[10]說：畫有六法，氣質神韻生動，骨法用筆有力，據物特徵畫形，據物類別着色，構思佈置畫面，臨摹名家作品。骨法用筆五法可以憑藉後天的努力學習獲得，而氣韻生動一法必須依靠天生的稟賦和智慧。

◎ 六要六長

宋劉道醇[11]說：神韻兼有骨力，這是第一個要點；風格形制老練，這是第二個要點。造型誇張變形而合乎情理，這是第三個要點；色彩豔麗明快，這是第四個要點；來龍去脈自然，這是第五個要點；師法前人而能夠取長捨短，這是第六個要點。

畫風粗放而筆法嚴正，這是第一個長處；在狹隘的題材與風格中而有獨創，這是第二個長處；畫風細密精巧而不失力度，這是第三個長處；狂放怪異而合乎畫理，

這是第四個長處；用墨雖少而韻味十足，這是第五個長處；畫面平淡而有奇致，這是第六個長處。

◎ 三病

宋代的郭若虛[12]說：畫有三個毛病，都關係到用筆。一是板。板則腕力軟弱筆法愚鈍，對物造型取捨不當，形象平扁，不能圓渾；二是刻。刻則運筆過程遲疑不決，心與手不能相應，勾畫筆線之際，亂生棱角；三是結。結則應該運筆而不運筆，應該鬆散而不鬆散，好像有甚麼東西在其中阻礙，使筆路不能流暢。

◎ 十二忌

元代的饒自然[13]說：一忌佈局太密；二忌遠景近景沒有分別；三忌畫山沒有氣脈連貫；四忌水沒有源流；五忌境界沒有平淡和險阻的對比；六忌路沒有出入阻斷不通；七忌石只有一面，沒有立體感；八忌樹沒有四面出枝交搭穿插；九忌人物駝背縮頸；十忌樓閣屋宇雜亂無章；十一忌用墨濃淡失衡；十二忌用色點染混亂沒有法度。

◎ 三品

夏文彥[14]說：氣韻生動，自然天成，常人無法探求其巧妙的，可稱為神品；筆墨高超，渲染合理，意趣深

遠的，可稱為妙品；形狀準確而不失法度的，可稱為能品。

　　鹿柴氏説：這是敘述前人的定論。唐朱景真[15]在三品之上，又增加了逸品。王休復（按：應為黃休復）[16]則認為逸品在先，神品、妙品在後，他的觀點承襲於張彥遠。張彥遠[17]的言論説：沒有達到自然只能追求傳神，沒有達到傳神只能追求巧妙，沒有達到巧妙只能追求工細。這番言論固然奇特，但一幅畫如果達到神品境界，説明畫家的各種技能已經齊備，哪有不自然的呢？逸品自然就應該放在三品之外，怎麼可以與妙品、能品一起評議優劣？一幅畫如果失於工細，似乎也無可厚非，媚世悦俗而作，成為畫中的鄉愿（媚俗趨時者）與媵妾，我不知它有甚麼可取之處。

註釋

1. 顧愷之（約 348 年—409 年），字長康，晉陵無錫人。精於人像、佛像、禽獸、山水，「六朝四大家」之一。代表作有《女史箴圖》《洛神賦圖》等。

2. 韓幹（約 706 年—783 年），唐代畫家，長安（今西安）人。代表作有《照夜白圖》《牧馬圖》等。

3. 李思訓（約 651 年—716 年），字建晛，唐代畫家，隴西成紀（今甘肅秦安）人，唐宗室李孝斌之子。曾任過武衛大將軍，世稱「大李將軍」，代表作有《江帆樓閣圖》等。

4. 吳道子（約 680 年—759 年），唐代畫家，陽翟（今河南禹州）人。他主

要從事宗教壁畫的創作，被後世尊稱為「畫聖」，被民間畫工尊為祖師。代表作有《明皇受篆圖》《十指鍾馗圖》《天王送子圖》等。

5. 董源（不詳—約 962 年），字叔達，五代南唐畫家，鐘陵（今江西進賢）人，是南派山水畫的開山人。代表作有《夏景山口待渡圖》《瀟湘圖》等。巨然（生卒年不詳），五代南宋畫家，鐘陵人。早年在江寧開元寺出家，擅長山水畫，專攻江南山水，代表作有《萬壑松風圖》《山居圖》等。

6. 陸探微（不詳—約 485 年），南朝宋畫家，吳縣（今蘇州）人。宋明帝時期宮廷畫家，是以書法入畫的創始人，畫風對後世影響極大，但沒有一幅繪畫真跡留存至今。

7. 倪瓚（1301 年—1374 年），字元鎮，號雲林子，元代畫家，無錫人。擅長山水、竹石、枯木等，是南宗山水畫的代表畫家。代表作有《漁莊秋霽圖》《六君子圖》《容膝齋圖》等。

8. 王維（701 年—761 年），字摩詰，號摩詰居士，唐代畫家、詩人，蒲州（今山西運城）人。代表作有《輞川圖》《雪溪圖》等。

9. 郭忠恕（不詳—977 年），字恕先，五代末宋代初畫家，河南洛陽人。工於山水，擅畫界畫，代表作有《雪霽江行圖》《明皇避暑宮圖》等。

10. 謝赫（479 年—502 年），南朝齊梁畫家、繪畫理論家。著有《古畫品錄》，提出中國繪畫的「六法」。

11. 劉道醇（生卒年不詳），北宋繪畫評論家，大梁人。著有《五代名畫補遺》《聖朝名畫評》等，提出了中國繪畫的「六要」和「六長」。

12. 郭若虛（生卒年不詳），北宋書畫鑒賞家、畫史評論家，山西太原人。著有《圖畫見聞志》等。

13. 饒自然（1312 年—1365 年），字太虛，元代繪畫評論家，江西人。著有《山水家法》，提出「繪宗十二忌」，論述了山水畫創作時應注意的諸多技術問題。

14. 夏文彥（生卒年不詳），字士良，號蘭諸生，元末明初畫家，浙江吳興（今浙江湖州）人，著有《圖繪寶鑒》等。

15. 朱景真（生卒年不詳），即朱景玄，為避諱稱為朱景真。唐代繪畫理論

家，吳郡（今蘇州）人，編撰有《唐朝名畫錄》。

16. 黃休復（生卒年不詳），字歸本，北宋畫史研究家。著有《益州名畫錄》。

17. 張彥遠（815 年—907 年），字愛賓，唐代畫家、繪畫理論家，蒲州猗氏
    （今江西臨猗）人。著有《歷代名畫記》《法書要錄》等。

二

◎ 分宗

禪家有南北二宗，在唐朝時才開始區分。畫家也有南北二宗，也在唐朝時開始區分。南北二宗並不是用南方人和北方人進行區分。北宗是李思訓父子，承傳者為宋代的趙幹[1]、趙伯駒[2]、趙伯驌[3]以及馬遠[4]、夏珪[5]；南宗是王維，他開始用渲染法，改變了以往的勾勒法，承傳者為張璪[6]、荊浩[7]、關仝[8]、郭忠恕、董源、巨然、米氏父子[9]，以及元四大家[10]，正如禪宗六祖[11]之後，承傳者有馬駒[12]、雲門[13]。

◎ 重品

自古因為文章而不是因為繪畫揚名於世，卻又擅長繪畫的，每個朝代都不乏其人，此處不能全部記載。因其人而想見其畫。因為人品而畫品被世人推崇的，漢代有張衡[14]、蔡邕[15]，魏國則有楊修[16]，蜀國則有諸葛亮[17]（諸葛亮有《南彝圖》以教化習俗），晉朝則有嵇康[18]、王羲之[19]、王廙[20]（書畫都是王羲之的老師）、王獻之[21]、溫嶠[22]，宋則有遠公（有《江淮名山圖》），南齊則有謝蕙

連，梁則有陶弘景 [23]（陶弘景以《驅放二牛圖》辭謝梁武帝的徵聘），唐代則有盧鴻 [24]（有《草堂圖》），宋代有司馬光 [25]、朱熹 [26]、蘇軾 [27] 而已。

◎ 成家

從唐五代時期的荊浩、關仝、董源、巨然以不同時代齊名成為四大家，後來到李唐 [28]、劉松年 [29]、馬遠、夏珪為南宋四大家，趙孟頫、吳鎮、黃公望、王蒙為元代四大家，高克恭 [30]、倪瓚、方從義 [31] 的畫作雖然屬於逸品，也卓然成家。所說的諸位大家，不必分門立派，而門戶自在，比如李唐遠學李思訓，黃公望近學董源，高克恭拋棄宋代院體的匠氣，倪瓚在元代畫家中列居首位。各有千秋，自成一派。不知道各位學畫的畫家，能夠自成一家的近日是誰？

◎ 能變

人物畫自顧愷之、陸探微、展子虔 [32]、鄭法輪 [33]，以至張僧繇 [34]、吳道子有一轉變，山水畫李思訓、李昭道 [35] 有一轉變，荊浩、關仝、董源、巨然又有一轉變，李成 [36]、范寬有一轉變，劉松年、李唐、馬遠、夏珪又有一轉變，黃公望、王蒙又有一轉變。

鹿柴氏說：趙孟頫雖為元人，卻恪守宋人傳統；沈周 [37] 本是明人，卻繼承元人衣鉢；唐朝王洽 [38] 好像預料

到身後有米氏父子，所以提前開創潑墨畫法，王維好像預料到身後有王蒙，所以提前開創渲淡畫法。或者開創在前，或者繼承在後，或者前人擔心後人不能開創而自己先開創，或者後人更擔心後人不善於繼承而自己先堅守。然而開創者有過人的膽量，繼承者也有過人的見識。

◎ 計皴

學者必須盡心竭力，先學好某一家皴法，等到學有所成，心手相應，然後可以雜採旁收其他各家皴法，加以創造，融會貫通，自成一家。後者貴在融合，而前者貴在精專。山水皴法約略統計有：披麻皴、亂麻皴、芝麻皴、大斧劈、小斧劈、雲頭皴、雨點皴、彈渦皴、荷葉皴、礬頭皴、骷髏皴、鬼皮皴、解索皴、亂柴皴、牛毛皴、馬牙皴，更有披麻皴間雜他點，荷葉皴間雜斧劈皴。至於某皴由某人所創，某人師法某家，我已經記載在山水分圖中，此處不作贅述。

◎ 釋名

淡墨重疊，旋轉運筆稱為斡。尖筆橫臥直取稱為皴。水墨反覆淋濕稱為渲。水墨連續潤澤稱為刷。用筆往前直指稱為捽。筆頭向下重指稱為擢。筆端向下注之稱為點，點用於人物，也用於苔樹。界尺引領毛筆，稱為畫，畫用於樓閣，也用於松針。利用白絹本色，用淡水輕輕

迴旋而成煙光，全然不見筆墨蹤跡，稱為染。顯露筆墨蹤跡而成雲縫水痕，稱為漬。畫瀑水利用白絹本色，只用焦墨暈染兩旁山石，稱為分。山凹樹空，略用淡墨渲染成雲氣，使山和樹上下相接，稱為襯。

《説文》[39]：「畫，就是界限，像田地的界限。」《釋名》[40]：「畫，就是掛，以彩色彰顯物象。」山尖的部分稱為峰，山平的部分稱為頂，山圓的部分稱為巒，山相連稱為嶺，山有洞稱為岫，山的峻壁稱為崖，崖間崖下稱為岩，路與山相通的地方稱為谷，路與山不通的地方稱為峪，峪中有水稱為溪，兩山夾水稱為澗，山下有潭稱為瀨，山間平地稱為坂，水中怒石稱為磯，海外奇山稱為島。山水名目，大致如此。

註釋

1. 趙幹（生卒年不詳），五代十國南唐畫家。擅畫山水、林木、人物，長於構圖佈局。代表作有《春林歸牧圖》《江行初雪圖》等。

2. 趙伯駒（1120 年—1182 年），字千里，趙匡胤的七世孫，南宋山水畫家。代表作有《風雲期會圖》《春山圖》等。

3. 趙伯驌（1123 年—1182 年），字晞遠，趙伯駒之弟，宋代畫家，擅金碧山水，代表作有《萬松金闕圖》《番騎獵歸圖》等。

4. 馬遠（約 1140 年—約 1225 年），字遙父，號欽山，南宋畫家，河中（今山西永濟）人。山水畫善於取景，喜作邊角小景，是「南宋四大家」之一，代表作有《踏歌圖》《華燈侍宴圖》等。

5. 夏珪（生卒年不詳），又名圭，字禹玉，南宋畫家，浙江臨安（今杭州）人。以山水畫著稱，構圖常取半邊，是「南宋四大家」之一，代表作有《溪山清遠圖》《遙岑煙靄圖》等。

6. 張璪（生卒年不詳），字文通，唐代畫家，吳郡人。擅長畫山水松石，特別是松樹，代表作有《松石圖》等。

7. 荊浩（約850年—不詳），字浩然，號洪谷子，五代後梁畫家，山西沁水人。著有山水畫理論《筆法記》，提出繪景的「六要」，代表作有《雪景山水圖》等。

8. 關仝（約907年—960年），五代後梁畫家，長安人。代表作有《關山行旅圖》《山溪待渡圖》等。

9. 米芾（1051年—1107年），字元章，號襄陽漫士，北宋書畫家，湖北襄陽人。「宋代四大家」之一，代表作有《草書九帖》《多景樓詩帖》等。米友仁（1074年—1153年），南宋書畫家，米芾長子。代表作有《瀟湘奇觀圖》等。

10. 元四大家指趙孟頫、吳鎮、黃公望、王蒙四位畫家。

    趙孟頫（1254年—1322年），字子昂，號松雪，宋末元初書畫家，宋太祖十一世孫，吳興人。代表作有《水村圖卷》《重漢疊嶂圖》等。

    吳鎮（1280年—1354年），字仲圭，號梅花道人，元代畫家，浙江嘉興人。代表作有《漁父圖》《雙松平遠圖》等。

    黃公望（1269年—1354年），字子久，號一峰，元代畫家，平江常熟人。代表作有《富春山居圖》《九峰雪霽圖》等。

    王蒙（1308年—1385年），字叔明，號黃鶴山樵，元代畫家，趙孟頫外孫，吳興人。代表作有《青卞隱居圖》《夏山高隱圖》等。

11. 禪宗六祖即六祖慧能（638年—713年），唐代佛教高僧，廣東新興人，佛教禪宗南宗創始人。

12. 馬駒（709年—788年），名道一，本姓馬，唐代佛教高僧，主張「自心是佛」、「凡所見色，即是見心」。

13. 雲門（生卒年不詳），即雲門宗，五代時期創始於韶州雲門山，中國佛教

禪宗五家之一。

14. 張衡（78 年—139 年），字平子，東漢科學家、文學家，南陽西鄂人。發明渾天儀、地動儀，著有《二京賦》《歸田賦》等。

15. 蔡邕（133 年—192 年），字伯喈，東漢書畫家、文學家，陳留郡圉縣人。著有《熹平石經》《郭林宗碑》等。

16. 楊修（175 年—219 年），字德祖，東漢末年文學家，華陰人。著有《答臨淄候箋》《孔雀賦》等。

17. 諸葛亮（181 年—234 年），字孔明，號臥龍，三國蜀國政治家、軍事家，徐州人。

18. 嵇康（223 年—263 年），字叔夜，三國魏國文學家、思想家、音樂家，銍縣人。「竹林七賢」之一，其思想主張成為了魏晉玄學的重要構成部分。

19. 王羲之（303 年—361 年），字逸少，東晉書法家，琅邪臨沂人，後遷居會稽（今紹興）。被譽為書聖，代表作有《蘭亭集序》等。

20. 王廙（276 年—322 年），字世將，東晉書畫家，王羲之的叔父，琅邪臨沂人，擅長書畫。

21. 王獻之（344 年—386 年），字子敬，小名官奴，東晉書法家、詩人，王羲之第七子。代表作有《鴨頭丸帖》《中秋帖》等。

22. 溫嶠（288 年—329 年），字泰真，一作太真，東晉政治家，太原祁縣人。平定王敦之亂、蘇峻之亂。

23. 陶弘景（458 年—536 年），字通明，南朝齊、梁道教思想家，丹陽秣陵（今南京）人。著有《本草經集注》等。

24. 盧鴻（生卒年不詳），字浩然，一作灝然，幽州範陽人，隱居嵩山。代表作有《盧鴻草堂十志圖跋》。

25. 司馬光（1019 年—1086 年），字君實，號迂叟，北宋文學家、史學家，山西夏縣人，主持編纂《資治通鑒》。

26. 朱熹（1130 年—1200 年），字元晦，號晦庵，別稱紫陽，南宋哲學家、教育家，婺源人。著有《四書章句集注》《周易本義》等。

27. 蘇軾（1037 年—1101 年），字子瞻，號東坡居士，北宋文學家、政治家，

眉山人。「唐宋八大家」之一，「北宋四大書法家」之一，開創湖州畫派，代表作有《赤壁賦》《黃州寒食詩帖》《古木怪石圖》等。

28. 李唐（1066 年—1150 年），字晞古，宋代畫家，河陽三城（今河南孟縣）人。「南宋四家」之一，擅長畫山水，代表作有《萬壑松風圖》等。

29. 劉松年（1155 年—1218 年），南宋畫家，錢塘人。擅畫山水，內容多以江南山水風光為對象，代表作有《四景山水圖》《天女獻花圖》等。

30. 高克恭（1248 年—1310 年），字彥敬，號房山，元代詩人、畫家，回鶻人。代表作有《雲橫秀嶺圖》等。

31. 方從義（1302 年—1393 年），字無隅，號方壺，元代畫家，江西貴溪人。代表作有《山蔭雲雪圖》《武夷放棹圖》等。

32. 展子虔（約 550 年—604 年），北周末隋初畫家，渤海（今河北滄州）人。代表作有《遊春圖》。

33. 鄭法輪（生卒年不詳），北周末隋初畫家，吳郡人，擅長畫宗教人物。

34. 張僧繇（生卒年不詳），南朝梁畫家，吳郡人。善畫人物故事畫和宗教畫，代表作有《漢武射蛟圖》《二十八宿神形圖》。

35. 李昭道（生卒年不詳），字希俊，唐代畫家，李思訓之子。甘肅天水人，擅長青綠山水，代表作有《春山行旅圖》、《明皇幸蜀圖》等。

36. 李成（919 年—967 年），字咸熙，宋代畫家，山東營丘（今青州）人。擅長畫山水，代表作有《寒林平野圖》《晴巒蕭寺圖》等。

37. 沈周（1427 年—1509 年），字啟南，號石田，明代書畫家，長洲（今蘇州）人。「明四家」之一，隸屬吳門畫派，代表作有《廬山高圖》《秋林話舊圖》等。

38. 王洽（約 734 年—805 年），又稱王墨，唐代畫家，作畫喜歡大潑墨，擅長畫松石山水。

39. 《說文》即《說文解字》，作者為東漢許慎，《說文解字》是中國第一部系統地分析漢字字形和考究字源的字書。

40. 《釋名》是一部訓解詞義的書，由東漢劉熙撰寫，專門探求事物的名源，從語言聲音角度推求字義的由來。

三

◎ 用筆

古人說:「有筆有墨。」筆墨二字,人們大多不知道。畫豈能沒有筆墨?只有輪廓,而沒有皴法,叫做無筆,有了皴法而沒有輕重向背、雲影明暗,叫做無墨。王繹[1](按:應為郭熙[2])說:「人使用筆,不可反被筆使用。」所以說「石分三面」,這句話是說用筆,也是說用墨。

凡作畫,有的畫家喜歡用畫筆如大小蟹爪筆,點花染筆,畫蘭與竹筆,有的畫家喜歡用寫字筆,如兔毫湖筆,羊毫雪鵝柳條,有的畫家習慣用尖筆,有的畫家專門用禿筆。畫家根據性格習慣,各取所需,不可偏執於一種。

鹿柴氏說:倪瓚效仿關仝,改關仝的正鋒為側筆,更見秀潤。李公麟[3]書法非常精到,黃庭堅[4]評李公麟畫法透入書法之中,書法也透入畫法之中。錢穀[5]從師於文徵明[6]門下,每日見到文徵明練習書法,而其畫筆更為精妙。夏昶[7]經常與陳繼、王紱[8]一起作詩文練書法,而其竹法更加超逸。與文士交流,有助於資養筆力。歐陽修[9]用尖筆乾墨作方闊字,神采秀發,觀其書如見其人眉目清秀,舉止灑脫。徐渭[10]醉後寫字出現敗筆,便改畫梧桐美人,即使只

用墨筆淡染兩頰，也丰姿絕代，反倒令人覺得世間化妝用的鉛粉是污垢。不是因為別的，而是因為筆法的精妙。用筆到達到這種境地，可謂得心應手，出神入化。書與畫沒有甚麼分別。不但如此，南朝詞人乾脆認為文法即是畫法。《沈約[11]傳》說：「謝元暉（按：應為謝玄暉，即謝朓）[12]善於詩，任彥升[13]工於畫。」庾肩吾[14]說：「作詩之法與作畫之法相同。」杜牧[15]說：「愁苦時閱讀杜甫[16]的詩觀賞韓幹的畫，好似請仙姑為自己撓癢。」同樣的毛筆，用來寫字、作詩、作文，都要抓到古人癢處，即抓到自己癢處。如果同樣的毛筆，用來作詩作文、寫字作畫，卻成為一個不痛不癢世界，那麼執筆的那隻手早該砍斷，留着它還有甚麼用處啊？

◎ 用墨

用墨方法：李成惜墨如金，王洽潑墨成畫。學者如果牢記「惜墨潑墨」四字，那麼對於六法、三品，就能理解得差不多了。

鹿柴氏說：凡是舊墨，只適合畫舊紙、仿舊畫，因為舊墨和舊紙光芒盡斂，火氣全無，正如林逋[17]、魏野[18]都是隱逸之士，二者適合並坐一席。如果新絹、灑金紙、灑金扇上用舊墨，反倒不如用新墨光彩直射。這並不是因為舊墨不好，而是因為新紙新繒難以受用舊墨，好比將高人雅士的衣冠穿在新貴暴富土豪身上，座中觀者無不掩口失

笑，二者怎能相配呢？所以我說舊墨留着畫舊紙，新墨用來畫新繒。金紙都可以任意揮灑，就不必過於吝惜了。

◎ 重潤渲染

畫石的方法，先從淡墨畫起，便於修改和補救。逐漸用濃墨，是最好的方法。董源坡腳下多堆積碎石，畫的是南京山勢。先順筆勾勒山石的輪廓添加皴筆，然後用淡墨破其深凹處。着色也在深凹處，石着色要重。董源山頭多畫小石，叫做礬頭。山中有雲氣，皴法要溫潤。山下有沙地，用淡墨輕掃，曲折寫出，再用淡墨相破。

畫夏山欲雨，要用水筆暈染山石，碎石加淡螺青，更覺秀潤。將螺青加入墨中或者將藤黃加入墨中畫石，色彩滋潤可愛。畫冬景借地為雪，用薄粉暈染山頭，用濃粉點苔。畫樹用墨不要過重，幹瘦枝脆，便為寒林。再用淡墨重複潤澤，就是春天的樹。

凡是畫山，着色與用墨必須有濃有淡。因為山必然有雲影，有影的地方必然晦暗。無影有日光的地方必然明朗，明朗的地方墨與色淺淡，暗晦的地方墨與色濃重，這樣畫出來的山就好像有雲光日影浮動於其中了。山水家畫雪景多有俗氣，我曾經見過李成的雪圖，峰巒林屋，都用淡墨畫出，而水天空闊的地方，全用白粉填補，也是一奇。凡是畫遠山，必須先以炭筆確定其形勢，然後用花青或者墨水一一染出，起初的一層顏色淺淡，後來一層略

深，最後一層更深。因為越遠的地方雲氣越深，所以顏色越重。畫橋樑以及屋宇，必須用淡墨潤澤一二次。無論着色還是水墨，不滋潤便淺薄。王蒙有的畫全幅不設色，只用赭石淡水潤澤松樹，略微勾勒山石輪廓，風采就無與倫比。

◎ 天地位置

凡是構思落筆，必須留出天地。甚麼叫天地呢？比如一幅作品之中，上方要留出天的位置，下方要留出地的位置，中間才能立意定景。我曾見過世上初學者，草率執筆，滿幅塗抹，令人眼目雜亂，意趣索然，這樣的畫哪裡還能被賞鑒之士所看重呢？

鹿柴氏説：徐渭論畫，將奇峰絕壁、大水懸流、怪石蒼松、幽人雅士，大多以水墨淋漓、煙嵐滿紙、疏曠如無天、細密如無地的作品稱為上品。這話似乎與前論不符。我説徐渭是瀟灑之士，他能在極填塞的佈局中具有極空靈的情致，説「疏曠如甚麼」，説「細密如甚麼」，在字裡行間，早已將經營位置之道透露出來了。

◎ 破邪

如鄭文林 [19]、張復 [20]、鍾欽禮 [21]、蔣嵩 [22]、張路 [23]、汪肇 [24]、吳偉 [25]，在屠隆 [26]《畫箋》中，被斥責為邪門歪道，千萬不可讓這種邪魔之氣纏繞於我們的筆端。

◎ 去俗

筆墨中寧可有童稚氣，不可有滯澀氣；寧可有霸悍氣，不可有市井氣。滯澀則不生動，市井則多庸俗，庸俗尤其不可沾染。擺脫俗氣沒有其他辦法，只有多讀書，則書卷氣上升，市俗氣下降，學者應該注意啊。

註釋

1. 王繹（1333 年—不詳），字思善，號癡絕生，嚴州（今浙江建德）人。擅長人物寫像，著有《寫像秘訣》，代表作有《楊竹西小像圖》卷（與倪瓚合作）。

2. 郭熙（約 1000 年—約 1080 年），字淳夫，北宋畫家，河陽溫縣人。著有《林泉高致集》（其子收集其繪畫理論編撰而成），代表作有《關山春雪圖》《窠石平遠圖》等。

3. 李公麟（1049 年—1106 年），字伯時，號龍眠居士，北宋畫家，舒城人。擅長畫馬和人物，代表作有《五馬圖》《臨韋偃牧放圖》等。

4. 黃庭堅（1045 年—1105 年），字魯直，自號山谷道人，宋代詩人、書法家，洪州分寧（今江西九江）人。「宋代四大家」之一，代表作《松風閣詩帖》《李白憶舊遊詩卷》等。

5. 錢穀（1508 年—1572 年），字叔寶，自號懸罄室，明代畫家，吳越王裔，吳縣（今江蘇蘇州）人。吳門畫派第二代，師從文徵明，代表作有《秋堂讀書圖》《雪山策賽圖軸》等。

6. 文徵明（1470 年—1559 年），原名壁，字徵明，衡山居士，明代書畫家、文學家，長州人。「明四家」之一，代表作有《湘君夫人圖》《石湖草堂》等。

7. 夏昶（1388 年—1470 年），本名朱昶，字仲昭，號自在居士、玉峰，明代畫家，江蘇崑山人，代表作有《湘江風雨圖卷》《滿林春雨圖軸》等。

8. 王紱（1362 年—1416 年），字孟端，號友石生，別號九龍山人，明代畫家，江蘇無錫人。吳門畫派先驅，代表作有《燕京八景圖》《瀟湘秋意圖》等。

9. 歐陽修（1007 年—1072 年），字永叔，號醉翁、六一居士，北宋政治家、文學家，廬陵（今江西吉安）人，代表作有《新唐書》《新五代史》等。

10. 徐渭（1521 年—1593 年），字文長，號青藤老人，明代文學家、書畫家、山陰（今紹興）人。代表作有《墨花圖》《墨葡萄圖》等。

11. 沈約（441 年—513 年），字休文，南朝時期文學家、史學家，吳興人。「竟陵八友」之一，與諸人共創「永明體」，推進古體詩向近體詩轉變，著有《宋書》《沈隱侯集》等。

12. 謝朓（464 年—499 年），字玄暉，南朝齊山水詩人，陳郡陽夏（今河南太康）人。「竟陵八友」之一，與沈約等人共創「永明體」，詩風清新秀麗，代表作有《晚登三山還望京邑》等。

13. 任昉（460 年—508 年），字彥升，南朝文學家，樂安郡博昌（今山東壽光）人。「竟陵八友」之一，著有《述異記》《雜傳》《地記》等。

14. 庾肩吾（487 年—551 年），字子慎，南朝梁代文學家、書法理論家，南陽新野人。著有《書品》，敘述書法的源流演變。

15. 杜牧（803 年—約 852 年），字牧之，號樊川居士，唐代詩人、書畫家，京兆萬年（今陝西西安）人。著有《樊川文集》等。

16. 杜甫（712 年—770 年），字子美，號少陵野老，唐代現實主義詩人，湖北襄陽人。被後人稱為「詩聖」，詩風沉鬱頓挫，憂國憂民，代表作有《三吏》《三別》等。

17. 林逋（967 年—1028 年），字君復，賜諡「和靖先生」，北宋書法家，錢塘（今浙江杭州）人，代表作有《自書詩》《二帖》等。

18. 魏野（960 年—1019 年），字仲先，號草堂居士，北宋詩人，多作山水田園詩，詩風清淡樸實，代表作有《草堂集》。

19. 鄭文林（生卒年不詳）號顛仙，明代畫家，閩侯（今屬福建）人。善畫山水、人物，畫風粗獷豪放，「浙派」晚期畫家，代表作有《二仙圖》《女仙圖》等。

20. 張復（約 1403 年—1490 年），字復陽，以字行，號南山，明代畫家，浙江平湖人。善畫山水寫意，代表作有《山水圖》等。

21. 鍾欽禮（生卒年不詳），號會稽山人，浙江上虞人。「浙派」晚期畫家，代表作有《雪溪放艇圖》《漁樵問答圖》等。

22. 蔣嵩（生卒年不詳），字三松，號徂來山人、三松居士，明代畫家，江寧（今南京）人。擅長畫山水人物，「浙派」晚期畫家，代表作有《盧洲泛艇圖》《秋溪曳杖圖》等。

23. 張路（1464 年—1538 年），字天馳，號平山，明代畫家，大梁（今開封）人。在民間從事繪畫活動，「浙派」晚期畫家，代表作有《山雨欲來圖》《山水人物圖》等。

24. 汪肇（生卒年不詳），字德初，自號海雲，明代書畫家，安徽休寧人。擅山水、人物、花鳥，「浙派」晚期畫家，代表作有《蘆雁圖》《柳禽白鷳圖》等。

25. 吳偉（1459 年—1508 年），字次翁，號小仙，明代畫家，江夏（今湖北武漢）人。曾為宮廷畫師，繪畫以人物居多，山水次之，代表作有《仙蹤侶鶴圖》《芝仙圖》等。

26. 屠隆（1544 年—1605 年），字長卿，號赤水，明代文學家、戲曲家，浙江鄞縣人。著有《安羅館清室》《考槃餘事》等，《畫箋》為《考槃餘事》中的一篇札錄，對各朝代繪畫做了簡短的點評。

四

◎ 設色

　　鹿柴氏説：天的雲霞像錦緞一樣美麗，這是上天的着色；地上的花草樹木都井然有序、鬱鬱蔥蔥，這是大地的着色；人有眉目唇齒並且明皓紅黑不同顏色在面部交相搭配，這是人的着色；鳳凰獨有叢生的尾羽，雞放出絲帶，虎豹的皮毛花紋華美鮮明，野雞具有色彩繁雜明麗的形象，這是自然萬物的着色；司馬遷[1]依據《尚書》《左傳》《戰國策》等書，古色古香，著成《史記》，這是寫文章的人的着色；公孫衍[2]和張儀[3]，顛倒黑白，運用言辭辯論，語言華美，追求鋪陳誇張，這是辯論家的着色。着色對於寫文章，對於説話，不只有形狀，還有聲音。唉，宏大的天地，廣泛的人物，華麗的文章，豐富的言語，頓時變成一個着色的世界了！豈止是繪畫是這樣呢。即使善良處世有如所謂倪瓚的淡墨山水畫，如果少了着色也少有不遭人鄙棄，少有不令人發笑的。當今時代，只安守樸素哪裡行得通呢？所以就繪畫來說，需要研磨顏料，以配得上精良的人物；即使是素淡的黛色和黃色，也要展現山水的極致。就像雲橫白練、天染朱霞，山峰

矗立層層青色，樹木披上翠綠的毛織品。紅花堆積在山口，就知道春天到了；黃葉落在車前，一定到了深秋。胸中具備了四季的氣象，指尖有了巧奪天工的功力，各種色彩實在讓人賞心悅目啊！

又說：王維都是青綠色的山水畫，李公麟畫的都是白描人物，起初沒有淺絳色，起始於董源，盛行於黃公望，稱之為吳裝，傳到文徵明、沈周，逐漸成為專屬的時尚。黃公望的皴法，模仿虞山石的面，色彩善用赭石，淺淺地畫上，有時再用赭色的筆勾勒出大概。王蒙多數用赭石和藤黃着色山水畫，畫中山頭喜歡畫上蓬蓬鬆鬆的草，再用赭石勾勒出來，有時竟然不着色，只用赭石為山水畫中的人臉和松樹表皮着色而已。

◎ 石青

畫人物可以用凝滯而笨拙的顏色，畫山水則只用清淡的色彩。石青適合用所謂梅花片的那種，因其形狀像梅花，所以得名。取來放在乳鉢中，蘸上水輕輕研磨成細末，不可太用力，太用力就成了青色的粉末。然而即使不用力，也有這種粉末，只是少罷了。研磨完時倒入瓷碗中，略微加上清水攪拌均勻，放置一小會兒，把上面的青色粉末撇出來，稱為油子。油子只可以用作青粉，用來為人的衣服着色。中間一層是好的青色，用來畫正面的青綠山水。沉在底下的一層，顏色太深，用來鑲嵌點染夾葉

以及襯絹背。這稱作頭青、二青、三青。凡是正面用青綠色的，它後面一定用青綠色襯托，這樣色彩才飽滿。

◎ 石綠

研磨石綠也像研磨石青，但石綠質地很堅硬，應先用鐵椎敲碎，再放入乳鉢內，用力研磨才變細。石綠用蛤蟆背的好，也用水漂作三種，分為頭綠、二綠、三綠，也如用石青的方法。青綠加膠，必須臨時加，用極清的膠水投入碟子內，再加上清水放在溫火上略微熔化加以利用，用完後就應撇出膠，水不可存在它裡面，以免損害青綠的顏色。撇法：用滾開的水少許，投入青綠內，並將這個碟子安放在滾水盆內，必須淺，不能沒入其中，反覆用開水燉，膠就自動全部浮在上面，撇去上面的清水，這叫作出膠法。若不全部撇出，則再次取用，青綠便沒有了光彩。若用則臨時再加入新膠水就可以了。

◎ 朱砂

朱砂用箭頭狀的好，次一點的是芙蓉匹的。投入乳鉢中研磨到極細，用極清的膠水和清的滾開水一同倒入碗內，過一會兒，把上面黃顏色的撇在一處，叫朱標，畫人物衣服着色用。中間紅而細的，是好朱砂，再撇在一處，用來畫楓葉、欄楯、寺觀等。最下層的顏色深而且粗糙，畫人物的畫家有時用它，畫山水畫則沒有用處。

◎ 銀朱

萬一沒有朱砂，當用銀朱代替，但必須有朱標，帶黃色的，用水漂後利用，水花不能用。（近日的銀朱，很多摻入了小粉，不能用。）

◎ 珊瑚末

唐代的繪畫中有一種紅色，歷久不變，鮮亮如朝陽，這就是珊瑚屑。宣和年間皇宮內廷印染顏色，也多用它，雖然不經用，但不能不知道。

◎ 雄黃

挑選等級高的通明雞冠黃，研成細末，用水漂的方法，與製作朱砂的方法相同。用來畫黃葉與人的衣服。但金色上面忌用，金箋着雄黃，幾個月後就燒成暗淡的顏色了。

◎ 石黃

這種顏料在山水畫中不常用，古人卻不廢棄。《妮古錄》[4]記載：石黃用水一碗，用舊席片蓋在水碗上，放上灰，用炭火煅燒，等到石黃紅如火，拿起來放到地上，用碗蓋上它，等到冷卻細細研磨調和，畫松皮以及紅葉的時候用它。

◎ 乳金

先用白色小杯子少抹上膠水，將乾的時候弄碎金箔，用手指（剪去指甲）蘸膠一一粘入，用第二指研磨，等乾了，粘在碟子上。再用一滴左右的清水，研磨至多次乾枯多次溶解，以極細為標準（膠水不可用多，多了就浮起不能細細研磨，只以濕潤可粘住為佳）。再用清水將手指及碟子上一一洗淨，都放在一個碟子中，用微火加熱，一會兒金子沉澱，將上面黑色的水全部倒出，曬乾碟子內的好金子。臨用的時候稍稍加入極清稀膠水調和，不能多，多了金子就會發黑沒有光澤。又一法：將飽滿的皂莢內核，剝出白肉，溶化後成為膠，似乎更清。

◎ 傅粉

古人通常用蛤粉。其方法：用把蛤蚌殼煅燒後，研細，用水漂後利用。今天閩中下四府用白土刷牆，還多用蚌殼灰，用來代替石灰，仍有古人的遺韻。如今畫家則都用鉛粉了。其方法是把鉛粉用手指磨細，蘸上極清的膠水在碟子的中心摩擦，等摩擦乾，再蘸上極清的膠水，如此十幾次，則膠水鉛粉完全溶合在一起，然後搓成餅子，粘在碟子的一角曬乾。臨用時用滾開的水洗下，再滴入清清的幾滴膠水，撇出上面的使用，下面的擦去。研磨鉛粉必須用手指，是因為鉛粉經過人的氣息，鉛氣就容易消耗。

◎ 調脂

諺語說:「藤黃不要放入口中,胭脂不要弄到手上。」因為胭脂弄到手上,它的顏色在手上歷經數天不消散,非用醋清洗不能消退。必須用福建胭脂,用少許滾開水略微浸濕,將兩根筆管像染坊中絞布的方法,絞出濃汁(也必須過濾出木棉的細渣滓),用溫水熬乾利用。

◎ 藤黃

《本草·釋名》記載,郭義恭《廣志》[5]上說岳州、鄂州等地,山崖間海藤花的花蕊敗落在石頭上,當地人收其它,叫「沙黃」。在樹上採摘,叫「蠟黃」。今天訛傳為「銅苗」,為「蛇屎」,錯得更厲害。又有周達觀[6]《真臘記》說:黃色的是樹脂,外族人用刀砍樹,汁液流出來,下一年收起來的。這種說法雖然跟郭義恭的說法不同,然而都是說的草木的花與汁液,從來沒有蟒蛇屎的說法,但氣味酸,有毒,腐蝕牙齒,貼在上面就掉落,舔它覺得舌頭麻,所以說「不要放入口中」。應當挑選一種像筆管的,叫做筆管黃,是最好的。

從前的人畫樹,通常用藤黃水放進墨汁裡,用來畫枝幹,便覺得效果蒼勁圓潤。

◎ 靛花

福建產的為上等,近日棠邑產的也較好。因為漚製

藍花不在土坑內，沒有接受泥土的氣息，並且用的石灰少，所以色澤同其他地方產的差別較大。看靛花的方法，必須挑選那些質量很輕，而青翠中有紅頭泛出來的，拿細絹篩過濾掉草屑，用茶匙稍稍滴水到乳鉢中，用椎細細研磨。乾了再加水，滋潤時就再進行研磨。靛花四兩，研磨它必須人力一天，才浮出光彩。再加入清膠水，洗淨杵和鉢，全部倒入大碗內，澄清它，把上面細的東西撇出來，碗底色澤粗而黑的，應當全部拋棄。把撇起來的東西放在烈日下，一天曬乾才好。如果第二天則膠就變質了。凡是製作其他顏色，四季都可以，唯獨靛花必須等到三伏天。而且繪畫中也只有這種顏色用處最多，顏色最好。

◎ 草綠

凡是靛花六分，加上藤黃四分，就是老綠；靛花三分，加上藤黃七分，就是嫩綠。

◎ 赭石

挑選赭石以質地堅硬且色澤豔麗的為好。堅硬如鐵與朽爛如泥的，都不入選。用小沙盆加水研磨，細如泥，投入極清的膠水，緩緩地用水漂，也取上層，底下所沉澱的粗糙且色澤暗淡的扔掉它。

◎ 赭黃

藤黃中加入赭石，用來點染深秋樹木，葉子色彩蒼黃，自與春初的嫩葉淡黃有區別。如果着色秋景中山腰的平坡，草間的小路，也應當用這種顏色。

◎ 老紅

為樹葉中丹楓的鮮明，烏桕的冷艷着色，就應當單純用朱砂。像柿樹、栗樹諸多夾雜的樹葉，必須用一種老紅色，應當在銀朱中加入赭石來着色。

◎ 蒼綠

初經霜的樹葉，綠色將要變黃，有一種蒼老暗淡的顏色，應當在草綠中加入赭石運用它。秋初的石坡土路，也用這種顏色。

◎ 和墨

樹木的陰陽、山石的凹凸處，在諸多色彩中陰處、凹處都應該加墨，則層次分明，有遠近相背的效果了。如果想樹木、石頭蒼勁圓潤，諸多色彩中盡可以加入墨汁，自有一層陰森之氣浮蕩在丘壑間。但是朱紅色只適合淡淡地着色，不適合加入墨汁。

我把各種沉重凝滯的顏色羅列在前面，而把赭石靛花清靜的顏色品種單獨放在後面，可見赭石靛花兩種顏

色乃是畫山水的人日常使用的，是賓主之誼啊。丹砂石黛猶如高冠寬帶，賓主以禮相見，溫和莊重大方從容，怎能不居於前列？軍隊有行進的法度，凡是出動軍隊，勇士在前攻擊，謀士在幕後，那麼丹砂石黛就是我的勇士。又有德充於內的符驗，渣滓污穢每天去掉，清靜虛無每天進來，那麼赭石、靛花又居於清靜虛無之地。藝術，已經上升到道的境界了。

◎ 絹素

古代的畫到唐初，都用生絹。到周昉[7]、韓幹以後，才用熱水燙到半熟，加入粉末，捶打如同銀板，所以人物精彩進入筆端。如今的人收藏唐朝的畫，一定憑藉絹來辨別，看到文理粗，便說不是唐畫，這是不對的。張僧繇的畫、閻立本[8]的畫，世上所保存下來的都是生絹。南唐的畫，都是粗絹。徐熙[9]用的絹有的像布。宋代有院絹，勻稱乾淨厚實稠密，有獨梭絹，細膩稠密像紙，達到七八尺寬。元代的絹類似宋絹，元代有宓機絹，也極其勻稱乾淨，大概出自我家鄉魏塘宓家，所以得名。趙孟頫、盛懋[10]多用它。明代的絹，皇宮中也珍愛等同宋絹。

古代的畫絹呈淡墨色，卻有一種古色古香讓人喜愛。破口處一定有鯽魚口，連着三四根絲線，不直接斷裂，直接斷裂的是贗品。

◎ 礬法

絹選用松江地區織造的，不在斤兩輕重，只挑選那些像紙一樣紋理極其細膩且沒有脫線的，粘上畫幀邊框（也就是樗子）的上、左、右三邊（如果絹幅邊緣太緊，必須打濕再粘，否則繃不緊）。幀下用竹籤穿住。用細繩交叉纏在下邊框上（不要打成死結），等到上礬後絹面平整，沒有凹陷沒有偏處（然後打死結）。如果絹幅有七八尺那麼長，那麼幀的中間，應該放上一根撐棍。凡是粘好的絹一定等到完全乾透才可以上礬，未乾時上礬，絹就會脫落。上礬時排筆不要刷到粘邊上，否則絹也會脫落。即使等到乾透再刷沒有碰到粘邊，因為梅雨天返潮，絹也會脫落，此時要趕緊用礬水補刷沾邊。又或者萬一刷到粘邊上導致某些位置將要脫落時，要趕緊用竹片削成尖如鼠牙的竹釘釘住。礬絹的方法：夏天每七錢膠，兌礬三錢；冬天每一兩膠，兌礬三錢。膠必須挑選極其清亮且沒有氣泡的。近來生產的廣膠，多摻入大麥麵粉造假，不能用。礬必須先用涼水泡開，不能直接投入熱膠水中，否則就成為熟礬了。凡是上膠礬水，一定要分成三道。第一道膠礬必須輕些；第二道要飽和，清透地刷上去；第三道要非常清淡才行。膠不能太重，太重就會色澤暗淡，且作畫完成後就多有迸裂的憂慮。礬也不能太重，太重絹上就會起一層白霜，作畫時阻礙運筆，着色也沒有光澤。凡是畫青綠等比較重的色彩，畫成之後，

應該用很輕的礬水輕輕地過一道，裱裝時才不至於脫色。絹背面襯染的地方也是如此。上礬時，畫幀應該立起來，用排筆從左到右，一筆挨一筆橫向排刷。刷礬要勻，不能讓濕處看起來一條一條像房屋漏雨的痕跡。像這樣細心地上礬完成之後，即使不作畫看起來也是乾淨澄明，很值得鑒賞玩味。如果作畫遇到紋理稍粗的絹，就用水噴濕，放在石頭上捶打使紋理緻密，然後再繃框上礬。

◎ 紙片

宋代的澄心堂紙、宣紙、舊庫匹紙、楚紙，都可供畫家任意揮毫，潤燥隨心。只有宣紙中的一種叫做鏡面光和多次揭撕質地粗薄的高麗紙，雲南的鍍金箋，以及近來灰粉太重吸水性太強的普通紙，就是紙中的下品。遇到這種紙，即使是畫蘭花、竹子，也覺得是件違心的事。

◎ 點苔

古人畫山水多不點苔。點苔原本用來掩蓋皴法的雜亂。如果皴法沒有雜亂，又何必挖肉作瘡呢？不過即使需要點苔，也應該在着色諸項一一完成之後。比如王蒙的渴苔，吳鎮的攢苔，都是一絲不苟的。

◎ 落款

元以前畫家大多不在作品上面落款，即便是落款，也是隱藏在山石的空隙，唯恐書法不精，破壞畫面。元倪瓚書法剛健飄逸，或者在詩末題跋，或者在跋後題詩，明文徵明行款清秀工整，沈周落款筆法灑落，徐渭題詩奇崛縱橫，陳淳 [11] 題志精到卓絕，這些畫家的落款經常侵佔畫的位置，反而增添許多奇趣。近代粗鄙畫工，還是以不落款為好。

◎ 煉碟

凡是調色的碟子，先用淘米水溫煮一番，再用生薑汁調和大醬塗抹在底部，用文火慢慢加熱，可永保不開裂。

◎ 洗粉

凡是遇到畫上鉛粉發霉變黑的情況，用嘴嚼杏仁的汁水擦洗，一兩遍就可除去。

◎ 揩金

凡是泥金箋紙與扇面，有油不能作畫時，用一塊大絨布擦拭，就能受墨了。用粉末擦拭也可以去油，但始終會留下一層粉氣。也有用赤石脂去油的，但最終不如大絨布擦拭的效果好。

◎ 礬金

凡是碰到金箋上泥金泛起難畫，以及油光膠滑，畫不上去的情形，只要用薄薄的淡礬水刷上去，就好畫了。即使是好用的金箋，畫完後也應當敷上淡礬水，那麼裱裝時就沒有迸裂、粘起的隱患了。

過去我侍奉櫟下先生 [12] 的時候，先生正在作《近代畫人傳》。也曾經向我這無知之人請教，並就有關問題進行商討。後來我寫成《畫董狐 [13]》一書，從晉唐一直到當代，或者一人一篇傳記，或者一篇中兼為數人立傳。有人把它稱為「畫海」，還在等待雕版付印。這裡特意採取淺說的方式，是為了方便初學者。但也很不惜用筆墨口舌引導勸進，不只讀書人看了後明白作畫的原理，即使是畫家，看見後也誠惶誠恐地認真拜讀。客人說，這也算是「遠方來服」了吧！我急忙捂住他的嘴巴讓他不要亂講。

己未年古重陽節，新亭客樵記

註釋

1. 司馬遷（前 145 年—不詳），字子長，西漢史學家、散文家，夏陽人。創作中國第一部紀傳體通史《史記》，記載了從上古黃帝時期，到漢武帝元年之間長達三千多年的中國歷史。

2. 公孫衍 (生卒年不詳)，魏國人，戰國時期的政治家、外交家、軍事家，縱橫學派的代表人物之一，主張合縱抗秦。

3. 張儀 (不詳—前 309 年)，魏國人，戰國時期政治家、外交家、謀略家，遊說各諸侯國，主張連橫親秦。

4. 《妮古錄》明代陳繼儒撰寫，共四卷本，內容是一些書畫、碑帖、古玩雜記及逸聞趣事。

5. 郭義恭 (生卒年不詳)，晉代學者，撰有《廣志》，書中記載了南方地區的風土物產。

6. 周達觀 (約 1266 年—1346 年)，字達可，號草庭逸民，元代地理學家，溫州永嘉人，著有《真臘風土記》等。

7. 周昉 (生卒年不詳)，字仲朗，一字景玄，唐代畫家，京兆 (今陝西西安) 人。善畫宗教人物畫、仕女畫，代表作有《揮扇仕女圖》《簪花仕女圖》等。

8. 閻立本 (不詳—673 年)，唐代畫家，雍州萬年 (今陝西西安) 人。擅長畫人物、車馬、台閣，尤其是宗教人物，代表作有《步輦圖》《歷代帝王圖》等

9. 徐熙 (生卒年不詳)，五代南唐畫家，江寧人，善畫花竹林木、蟬蝶草蟲，代表作有《雪竹圖》等。

10. 盛懋 (生卒年不詳)，字子昭，元代畫家，浙江嘉興人。畫風嚴整，筆墨清潤，代表作有《秋舸清嘯圖軸》《秋江待渡圖》等。

11. 陳淳 (1483 年—1544 年)，字道復，號白陽山人，明代畫家，長洲 (今江蘇蘇州) 人，擅長花鳥畫，代表作有《紅梨詩畫圖》《山茶水仙圖》等。

12. 周亮工 (1612 年—1672 年)，字元亮，別號陶庵，學者稱為櫟下先生，明末清初文學家、篆刻家。代表作有《賴古堂集》《讀畫錄》等。

13. 董狐，春秋時晉國的太史。董狐開創中國史學直筆傳統的先河，所謂直筆，就是根據事實記載，不隱瞞、不誇大，真實地反映情況的書寫方式。

樹 譜

◎樹法

起手四歧法

畫山水一定先學畫樹。畫樹一定先畫樹幹，樹幹畫好了，加上點就變成了茂林，添枝就成為枯樹。起手的幾筆最難，務必仔細考慮陰陽向背，左右顧盼、避讓關係，或繁處更繁，或簡處更簡。所以古人作畫，千岩萬壑也不難一揮而就，卻在自己最熟悉的畫樹問題上煞費苦心。這就像寫作文，一定要先立起間架結構。間架結構已經立起，潤色又有何難？所以一定要先熟悉四歧之法，然後再了解其他諸種方法。四歧，就是畫家所說的石頭分三面，樹木分四枝。

之所以這裡不說「面」而說「歧」，是要大家明白樹幹的錯綜變幻，正像路的分叉。熟悉之後，自然能夠做到四歧之中，每一面都有看頭；四歧之外，每一枝都有條理。千頭萬緒不外乎此。

二株畫法

兩株樹的畫法分兩種：一種是在一株大
樹基礎上添畫一株小樹，這叫扶老；一
種是在一株小樹基礎上添畫一株大樹，
這叫攜幼。老樹要畫得婆娑多姿，小樹
要畫得窈窕有情。兩株樹就像聚攏在一
起的兩個人一樣，要有顧盼呼應。

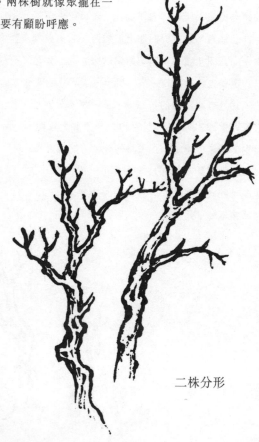

二株分形

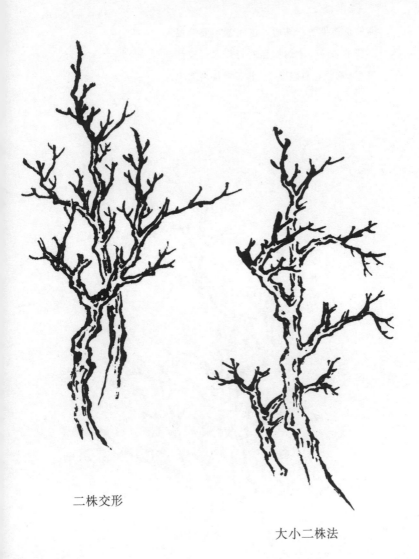

二株交形

大小二株法

三株畫法

即使是並排的三株樹，也注意不要讓根
部和頂端像一束捆紮起來的柴火一樣都
對齊，必須左右避讓，使枝幹穿插自然。

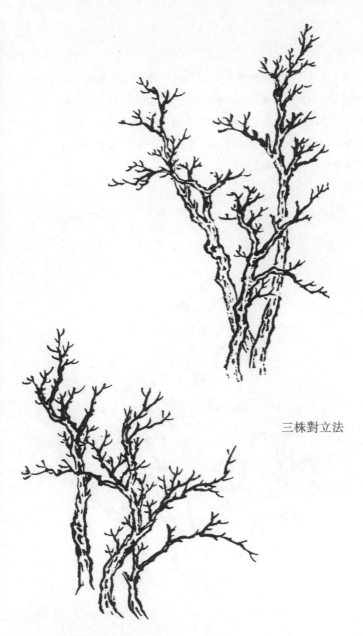

三株對立法

五株畫法

之所以不講四株直接過渡到五株的畫法，是因為五株的畫法
熟練了，那麼千株萬株可以類推，交接穿插的巧妙就包含在
這五株畫法之中。所以古人多畫五株樹，而倪瓚就有《五株煙
樹圖》。如果畫四株，那麼分為三株再加上一株，或者分成兩
組兩株樹的組合，所以不必另立篇章了。

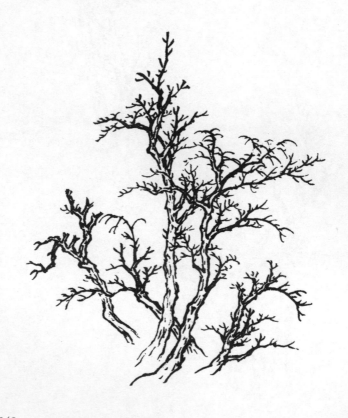

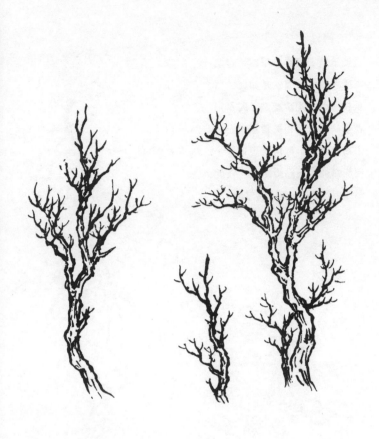

鹿角畫法

這種畫法最有情致，很適合畫沒有雜樹的秋林。或者用濃墨
畫鹿角枝高出其他眾樹的頂端，有鶴立雞群之妙。如果畫初
春的樹，可在上面加上嫩綠的小點；畫秋天的樹，可用朱砂
調和赭石混雜地點染紅葉。

蟹爪畫法

畫蟹爪枝必須鋒芒畢露，書法家所說的懸針豎就是如此。蟹爪枝可以搭配荷葉皴，因為兩者筆法都以尖利挺勁為主。用焦墨畫蟹爪，再用淡墨罩染，便成為煙樹。點綴冬景，枝幹四周用墨暈染，就成為雪樹。

露根畫法

樹木生長在泥土肥沃的山上，根部大都藏而不露。如果抱石臨流身處懸
崖千仞峭壁萬層的險地，大都是些搓枒老樹，根部裸露，真如超凡脱俗
的仙人，清癯蒼老，筋骨畢露，卻更顯骨相的奇崛。如果畫叢林雜樹的
話，一叢樹中間偶爾摻雜一兩株露根之樹，用來打破呆板也未嘗不可，
但必須要挑選那種節疤纍纍的才好。如果所有的樹都露根，那就像排滿
了一地的鋸齒釘耙，算不上雅觀了。

梅花鼠足點

這是梅道人吳鎮喜歡用的一種點樹法。

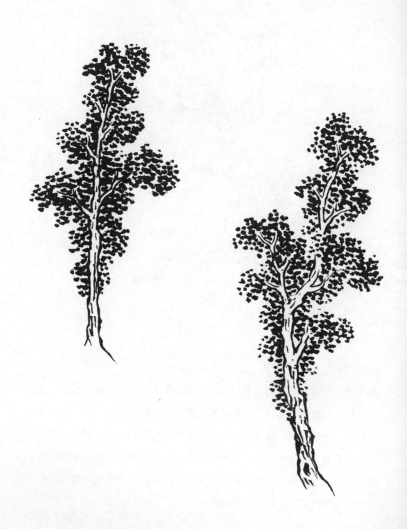

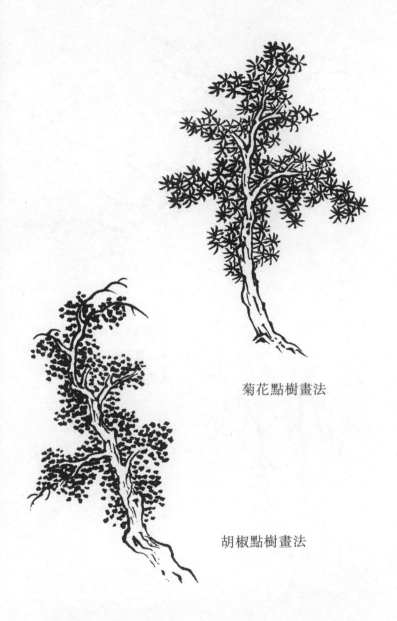

菊花點樹畫法

胡椒點樹畫法

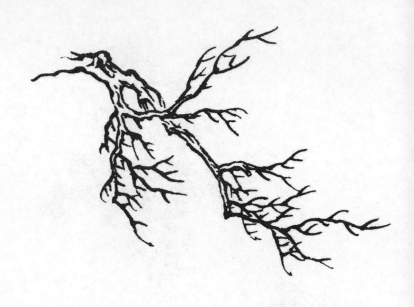

迎風取勢畫法

南宋的李唐常把這個方法用
在畫孤石危峰上。

倪瓚畫法

含苞畫法

初春時樹萌發枝節，秋末樹
葉脫落，就像骨節直接裸
露。畫這兩個時節的樹，都
用這個方法。

根下襯貼小樹畫法

樹中襯貼疏柳畫法

◎點葉法

點葉和勾葉法當中，不再明確區分某畫家用某種點法，某種樹用某種圈法，這是因為前後各樹法中都記載有古人的點法。點法雖各不相同，但信筆所至，在無意中相似的也不在少數，重要的是領會每一種點的奧妙，不能死抱着成法不放。

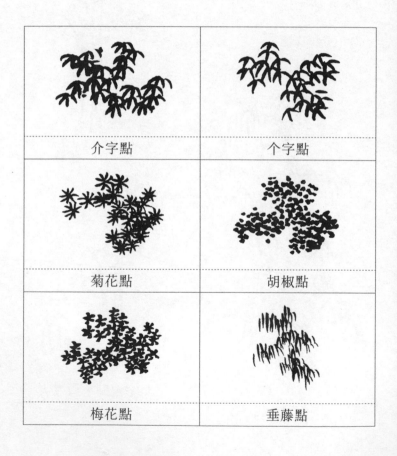

介字點	个字點
菊花點	胡椒點
梅花點	垂藤點

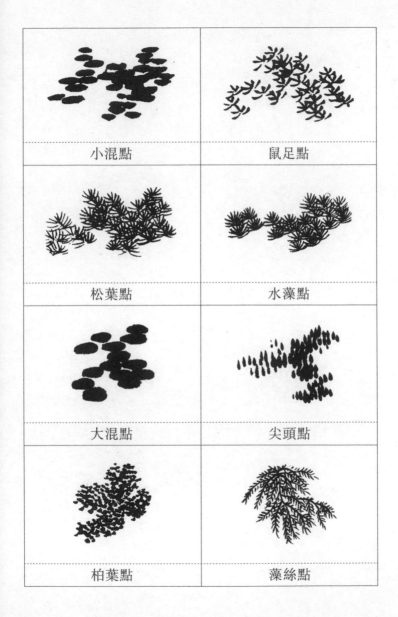

小混點

鼠足點

松葉點

水藻點

大混點

尖頭點

柏葉點

藻絲點

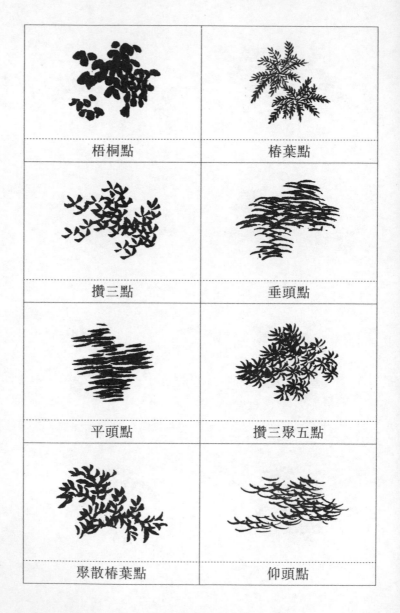

梧桐點	椿葉點
攢三點	垂頭點
平頭點	攢三聚五點
聚散椿葉點	仰頭點

刺松點　　　　　個字間雙勾點

破筆點　　　　　杉葉點

仰葉點　　　　　垂藤點

垂葉點　　　　　疏竹

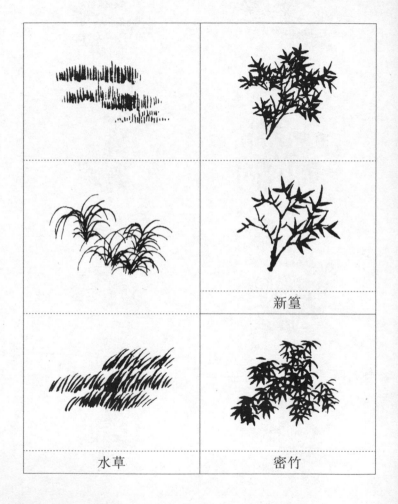

新篁

水草　　　　　密竹

◎夾葉法

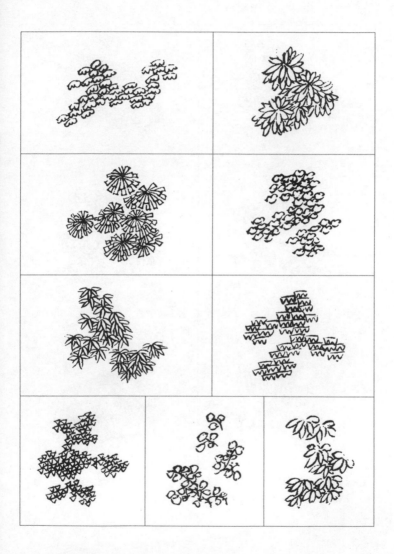

◎夾葉着色法

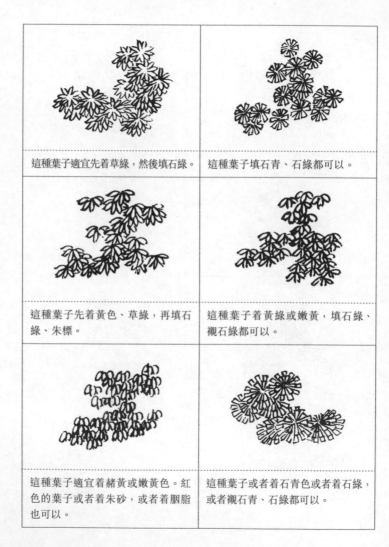

這種葉子適宜先着草綠，然後填石綠。	這種葉子填石青、石綠都可以。
這種葉子先着黃色、草綠，再填石綠、朱標。	這種葉子着黃綠或嫩黃，填石綠、襯石綠都可以。
這種葉子適宜着赭黃或嫩黃色。紅色的葉子或者着朱砂，或者着胭脂也可以。	這種葉子或者着石青色或者着石綠，或者襯石青、石綠都可以。

這種葉子先着花青，然後填石青。

這種葉子適宜着赭黃色。

這種葉子適宜上面三瓣葉着胭脂，下面幾瓣葉着濃綠，或者填石綠，或者襯石綠，上面三瓣瓣尖用藤黃，比如畫娑羅、椿、栗等。

此葉或者填石綠，或者着朱砂，或者着藤黃，都可以。

這種葉子適宜着赭石，或者紅葉。

此葉適宜着嫩綠或者着赭黃。

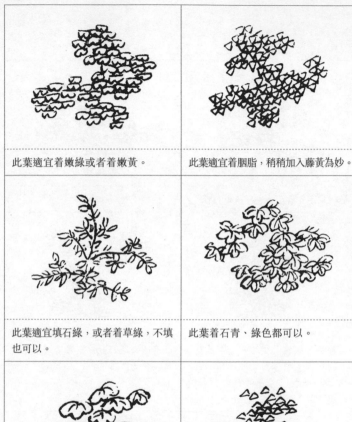

此葉適宜着嫩綠或者着嫩黃。	此葉適宜着胭脂，稍稍加入藤黃為妙。
此葉適宜填石綠，或者着草綠，不填也可以。	此葉着石青、綠色都可以。
此桐葉，或者着草綠，反面襯石綠。	此楓葉，適宜畫在秋景之中，或者着朱砂或者着胭脂，都可以。

◎鈎藤法

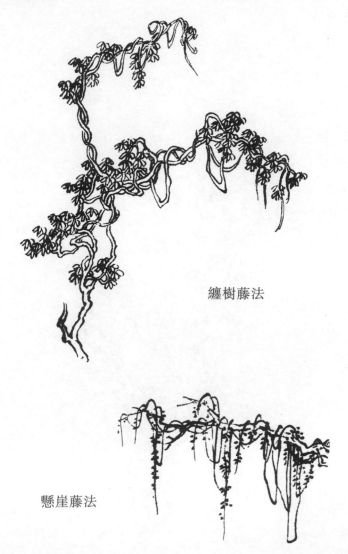

纏樹藤法

懸崖藤法

◎枯樹法

范寬樹法

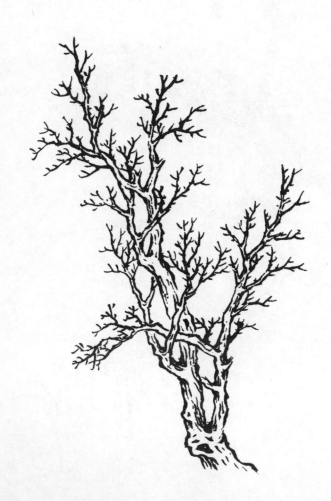

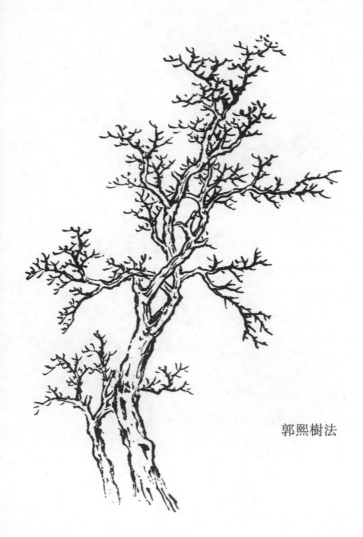

郭熙樹法

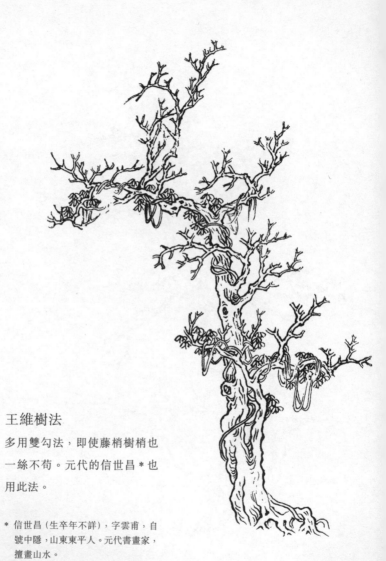

王維樹法

多用雙勾法，即使藤梢樹梢也
一絲不苟。元代的信世昌＊也
用此法。

＊ 信世昌（生卒年不詳），字雲甫，自
　號中隱，山東東平人。元代書畫家，
　擅畫山水。

馬遠樹法

燕肅＊風樹法

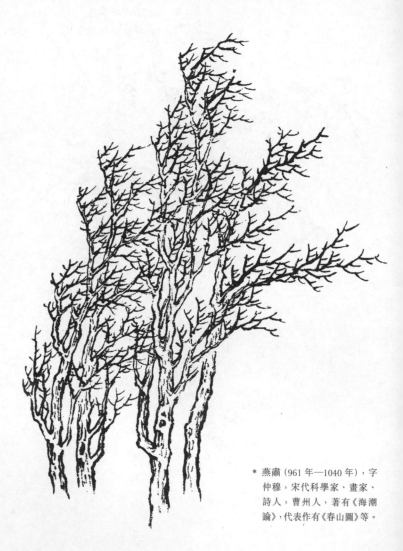

＊燕肅（961年—1040年），字
仲穆，宋代科學家、畫家、
詩人，曹州人，著有《海潮
論》，代表作有《春山圖》等。

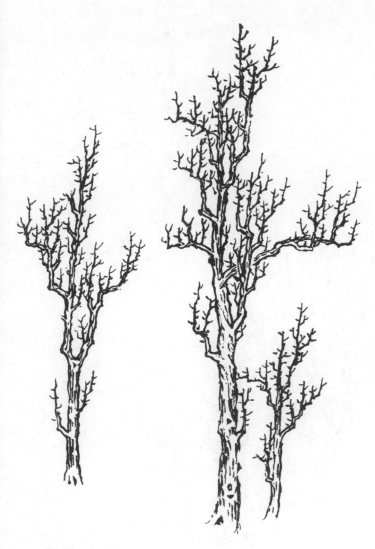

蕭照枯樹法

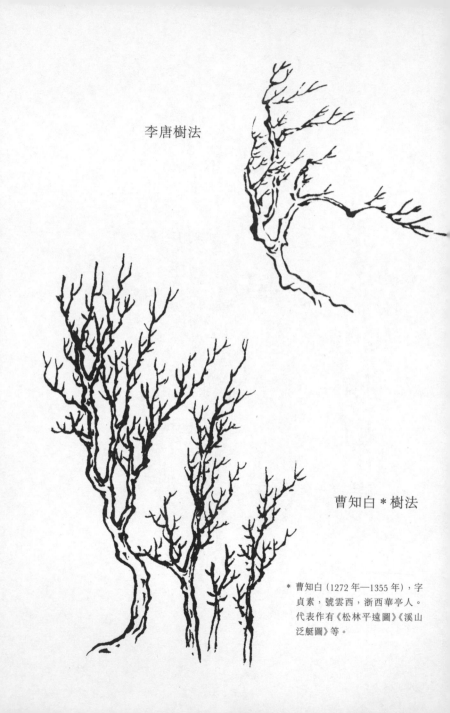

李唐樹法

曹知白＊樹法

＊ 曹知白（1272 年—1355 年），字
貞素，號雲西，浙西華亭人。
代表作有《松林平遠圖》《溪山
泛艇圖》等。

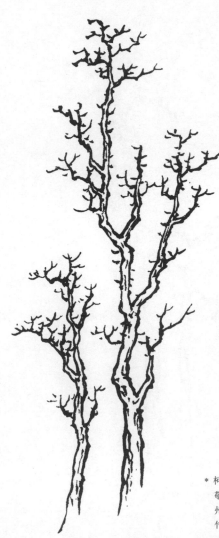

柯九思＊樹法

＊柯九思（1290 年—1343 年），字
敬仲，號丹丘，元代書畫家，台
州仙居人。代表作有《清閟閣墨
竹圖》《晚香高潔圖》等。

◎ 葉樹法

倪瓚樹法

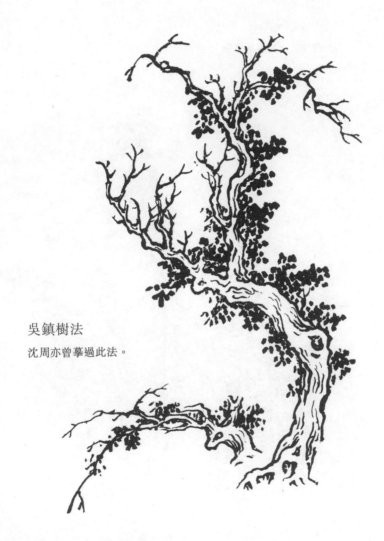

吳鎮樹法

沈周亦曾摹過此法。

黃公望樹法

倪瓚也用這種畫法畫樹。

黃公望樹法

樹法固然要圓活，但出枝不能太
多，枝梢要內斂不要放縱，樹頭
要舒展不要拘束。

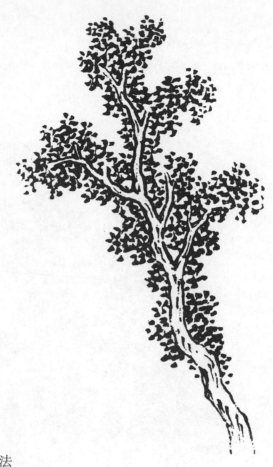

吳鎮樹法

要蔥鬱茂密，其妙處在於樹頭參差，
有一伸一縮、一肥一瘦的交錯變化。
先用炭條圈出樹頭的大概位置，再根
據圈出的位置點葉。

◎雜樹法

既然諸家畫樹，已經各為立法，以見體
式了。體式既已明了，就該講求運用之
道。體與用雖不可分，但為初學者着想，
不得不暫作區別。這就像諸般調料齊備，
只待運用調和，擅長烹調的做出鹹綠淡
適中的食物，都是美味。又好像大軍四
方集結，靜聽號令，善領兵者指揮自如，
多多益善。樹木之間有配合，有避讓，
有逆向穿插以取勢，有順勢顧盼而生姿。
荊、關、董、巨各家，各有靈性，能把古
人筆法熔為一爐。如今的學者，也當以
自己的悟性融合荊、關、董、巨的筆法，
才能見到運用之妙。

范寬雜樹畫法

畫春山雜樹，多用青綠着色。

劉松年雜樹畫法

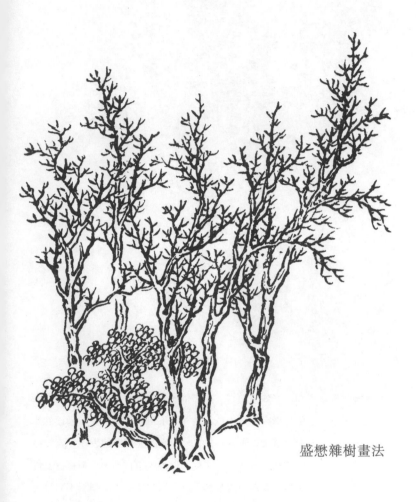

盛懋雜樹畫法

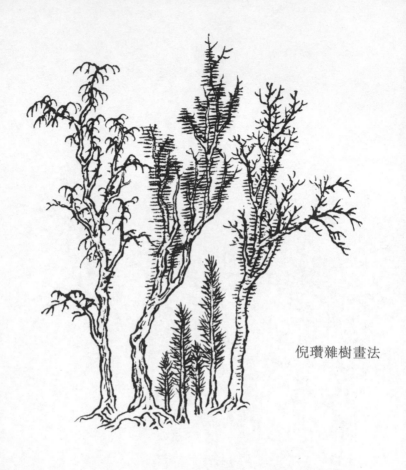

倪瓚雜樹畫法

世人模仿倪瓚畫樹，多如頂門棍、拴馬樁一般僵硬強直，還飄飄然自命
不凡，根本不了解倪瓚在樹法上造詣精深，下筆自有一種深遠通透的氣
象。只要看看倪瓚所畫《獅子林圖》中，各種樹法齊備的表現，就知道
倪瓚絕不是僅憑一種樹法、一種石法就可以傲視千古的。這裡更選取倪
瓚工整的樹法以便確立規矩，也是為了讓大家知道世人所學，不過是倪
瓚的一鱗半爪，根本就不是他的全部。

郭熙雜樹畫法

李唐懸崖雜樹法

荊浩、關仝雜樹法

夏珪雜樹法

李成也這樣畫。

大小米雜樹法

既然已經知道了米芾畫風的淵源，那麼就把米芾放到董源的後面來闡述，也好讓大家知道二者是首尾相連，很難分別是一是二。但這種畫法一定要做到淋漓盡致，濃淡合宜。程青溪先生為米芾洗冤，説吳門畫派、松江畫派的畫家學米芾流為濫俗，就像老花眼、霧中花一樣，連累米芾也遭受譴責，罪過不小。所以這種畫法一定要層層烘染而出，傳授訣竅，就是所謂「有墨有筆」。有筆無墨就會枯燥，有墨無筆就會模糊低俗。

小米樹法

二米畫柳法

大米樹法

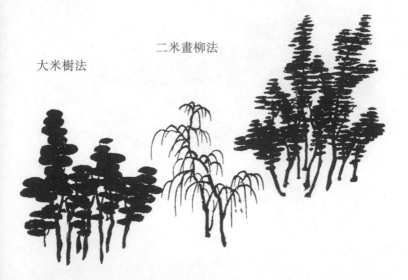

關仝樹法

這是關仝的樹法。米友仁把它置於雲煙
出沒的景象中，更覺勝過前人。沈周有
時也用這種畫樹方法。

倪瓚樹法

倪瓚好用側鋒，下筆有輕重，不要用中鋒，其妙處
就在於清秀峭拔。宋人畫院體皴法都用中鋒，至董
源稍加縱放，成一小變。倪瓚、黃公望、王蒙都師
法董源，所以作畫都有側鋒。

倪瓚小樹法

董源遠樹

董源喜好在山頂畫小樹，但大都不先畫樹枝，只用筆點簇而成。畫山水用畫樹的皴法，這是董源山水的奧妙所在。董源畫雜樹，只是遠看像樹，其實是靠點筆連綴成形，這就是米芾落茄點的原型。要淋漓簡略，枝柯簡而形影繁，用淡墨渲染，以淡煙烘托，像是卓文君畫遠山眉，與黛青渾然一體。但董源也有不畫小樹的作品，《秋山行旅圖》即是。

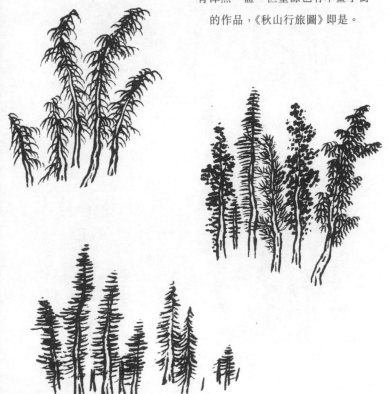

扁點遠樹法

扁點極遠處的小樹，適合用淡
墨點於山凹處，或點在遠山腳
下。用淡綠渲染，用煙雲映襯。

圓點遠樹法

圓點極遠處的小樹，與扁點極遠處的小
樹畫法相同。如果用淡墨四圍烘染，便
可作為雪景中的遠樹。

◎松柏法

松樹好比正人君子，雖以虯龍蟠曲之態點綴深山幽谷，然而自有一種挺拔孤峭之氣，凜然不可侵犯。畫家畫松，應先存此意象於胸中，下筆自有奇崛風格。

馬遠瘦硬松

馬遠畫松形狀多瘦硬，如同曲折的鐵桿。

王蒙直幹松

王蒙畫大松樹多畫成挺拔的樹幹，松針比其他畫家
所畫松針稍長，雜亂之中很有文理。

李成盤結松

李成畫松形狀多盤曲，
如同龍飛鳳舞。

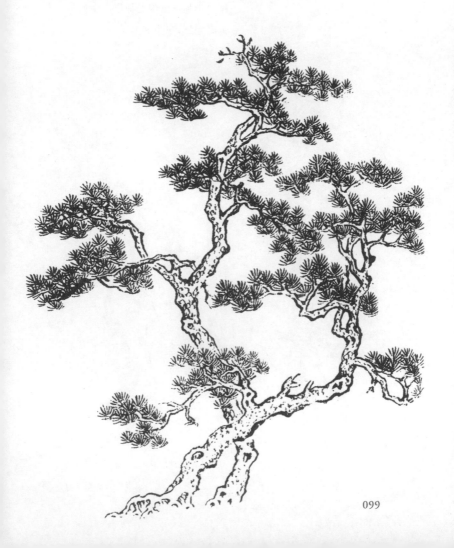

馬遠破筆松

馬遠偶爾用破筆畫松，最有情態，古意盎然。這種畫法最難，千萬不要像吳偉偽作中的粗惡之筆，漫無法度。

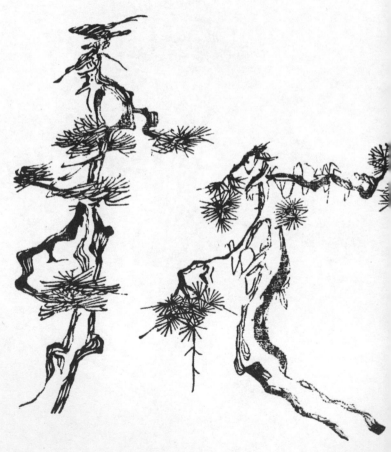

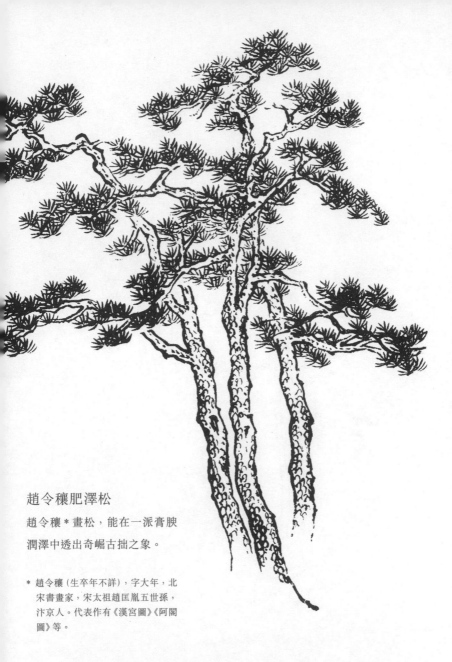

趙令穰肥澤松

趙令穰*畫松，能在一派膏腴
潤澤中透出奇崛古拙之象。

* 趙令穰（生卒年不詳），字大年，北
  宋書畫家，宋太祖趙匡胤五世孫，
  汴京人。代表作有《漢宮圖》《阿閣
  圖》等。

王蒙遠松

王蒙畫的松大多給人一種
漫不經心的感覺。

王蒙山頭遠松

王蒙山頭遠松，常喜歡畫此種
松樹，千株萬株，叢生錯雜，
無邊無際。又能兼收點苔之
效，豐富了山的情態。

郭熙遠松

郭熙經常畫群松，大小松樹相接，自山
巔至山澗，放眼望去，連綿不斷。

劉松年雪松

劉松年多畫雪松，周圍用墨暈
染，松針先用墨筆疏疏畫出，
然後用草綠間隔點染。松幹用
淡赭顏色染半邊，上半邊留出
的部分就是雪了。

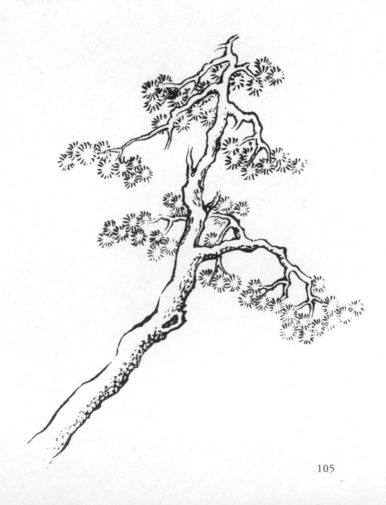

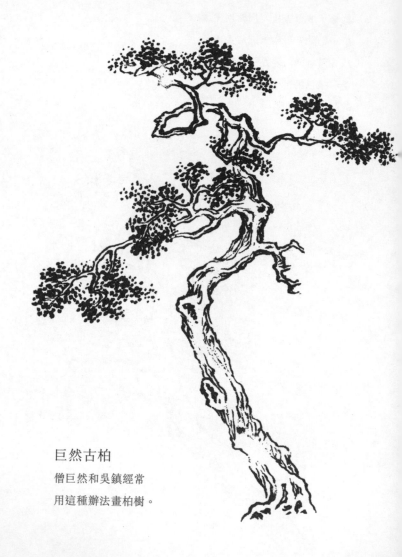

巨然古柏

僧巨然和吳鎮經常
用這種辦法畫柏樹。

◎ 柳樹法

柳有四種畫法：一種是勾勒填綠；一種是用汁綠漬染，新梢用嫩黃，近
根處用老綠，用來區分明暗；一種是在綠點上再加深綠，輕點幾個小墨
點，上面罩石綠時留邊；一種是全用墨絲勾出柳條，然後加點，濃綠罩
染。大體而言，唐人多用勾勒，宋人多用點葉，元人多用漬染。至於出
枝取勢，表現其迎風搖曳的姿態，則是一致的。又早春二月柳樹還沒有
垂條，深秋九月柳樹又已衰敗，兩種季節的柳樹不可相混。樹中的柳，
就像人群中的西施、毛嬙，神仙中的宓妃、列子，其臨波乘風之態，掩
映於水邊林下，最不可缺。所以趙伯駒、趙孟頫都喜歡畫柳。趙孟頫在
《水村圖》中，無論濃淡，只用水墨染塗，
意趣深遠，別是一種畫法。

高垂柳

宋人多畫這種柳。

秋柳

趙孟頫在《水村圖》中的柳樹
畫法，前面說「又一法」，指的
就是這種畫法。

點葉柳

唐人多畫這種柳。

髡柳

秋末春初時，可在茅舍竹籬之間點綴髡柳。正如美少女，額髮初齊，風采絕世。如果是初春景象，可以間雜桃花。先用大筆畫出樹樁，再用深淺墨色畫柳條，漬染綠色。如果是畫在絹上，就要用石綠襯染背面。如果是畫冬景與秋末景象，只需用赭石和綠色相間破染就可以了。

勾葉柳

王維等唐人和陳居中＊多畫
它。我覺得這種畫法太刻板，
所以把它放在最後，也算一種
畫法。

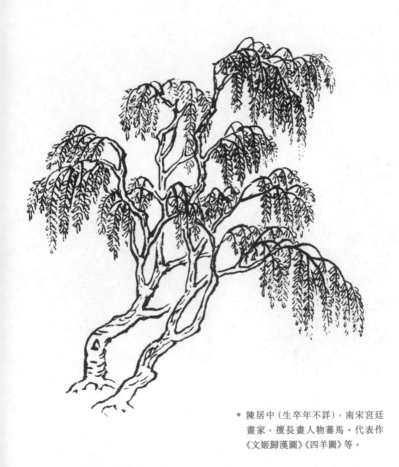

＊ 陳居中（生卒年不詳），南宋宮廷
　畫家，擅長畫人物蕃馬。代表作
　《文姬歸漢圖》《四羊圖》等。

◎蕉桐花竹葭菼法

棕櫚樹

唐人畫在園林山水中，後世郭忠恕經常畫這種樹。

勾勒梧桐

在王維的《輞川圖》中可以看到。

細勾蕉葉

唐人經常用這種辦法畫芭蕉。

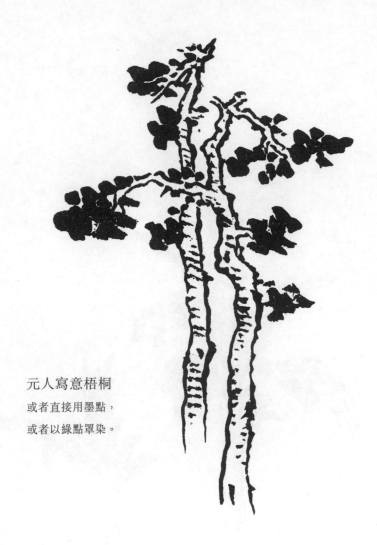

元人寫意梧桐
或者直接用墨點，
或者以綠點罩染。

寫意芭蕉

如果用淡墨畫，要在葉子中間
留出一條線。

點花樹幹法

點花樹幹的畫法區別很大。桃
樹不能混同於梅樹杏樹，梅樹
杏樹也不能混同於其他樹種。
大體而言梅枝多直而挺勁；杏
樹古人有只畫樹椿就加點小枝
的，桃樹就適合點繁密的小枝。

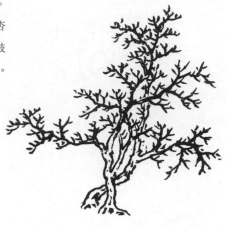

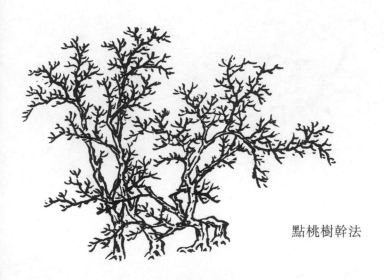

點桃樹幹法

點杏樹幹法

點梅樹幹法

畫小竹法

倪瓚在石畔樹下，好畫嫩竹柔條在夕陽西下的茅
屋花籬之間，恍聞簌簌之聲，一望即知是隱士的行
蹤。畫嫩竹就要畫出其吟風弄月的清高閒逸之致，
不能顯得雜亂無章，阻塞了清雅之氣。嫩竹有三種
畫法，應根據樹石畫法酌情選取粗細不同的體式
配用。

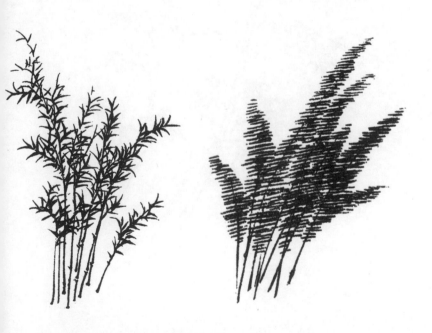

唐人畫樹好用雙勾，而其點綴
嫩竹卻常用飛白筆法，很有情
致。近世仇英也喜歡用這種方
法畫竹。

畫葭菼法

宋代名家如巨然、李成、范寬等人，都有《魚樂圖》傳世。這一風氣源
於煙波釣徒張志和＊。顏真卿＊曾寫詩以贈張志和，張志和自己根據詩
意作畫，這是唐代的一段文壇勝事，後人多用這種題材寓意漁隱，而元
代畫這種題材的就更多了。這大概是元四家都生活在江南蒹葭之地，熟
知漁樂之趣的緣故。其他圖譜都一定立有主樹，只有《漁樂圖》是一派
煙波浩渺的景象，樹不能作為畫面的主體，取而代之的是蘆荻，所以把
它放在草樹畫法的後面。

* 張志和（生卒年不詳），字子同，號玄真子，自號「煙波釣
  徒」，唐代詩人，婺州人。著有《玄真子》《漁父詞》等。

* 顏真卿（709 年—785 年），字清臣，唐朝政治家、書法家，
  京兆（今陝西西安）萬年縣人。「楷書四大家」之一，代表作
  有《東方朔畫像贊》《祭侄稿》等。

山石譜

◎石法

起手當分三面法

識人一定要看「氣骨」。山石乃是天地的骨骼，那麼天地之氣也便寄寓在山石之中，所以山石又被稱為「雲根」。無氣的山石就是頑石，就好像無氣的骨骼就是朽骨一樣，哪有朽骨可以出現在詞人墨客的筆下呢？畫無氣的山石固然不可，而畫有氣的山石，要想在一派杳渺中捕獲那不可捉摸的氣韻，更是難上加難。如果不是胸中有補天的本事，手上有細微的技藝，是很難做到的。不過現在我以為做到這點並不困難。石分三面，「三面」指的是山石凹深凸淺、陰陽錯綜、參差高下、體塊厚薄，以及礬頭菱面、負土含泉的各種情形。這雖只是山石的形勢，但熟知了這些氣韻也便因勢而生了。秘訣不多，一字相告，就是「活」。

127

下筆層累取勢法

我所說的一字秘訣「活」，首先是指在山石尚未分出陰陽體積，剛一落筆的時候，就要胸存磊落雄壯的氣概，一筆之中要包含多種頓挫變化，使線條意態活潑嬌若遊龍。畫時先用淡墨勾出山石的外廓，再用焦墨復勾。山石外廓如果左邊已經勾了濃墨，右邊就要淡一些，以此分出陰陽向背。千變萬化的山石都可參照這種方法。錯綜變化中又有小石間雜大石，大石間雜小石的分別。先勾外形，再依輪廓用皴筆，逐漸遊刃有餘。各家所用皴法不同，具體畫法須因地制宜。即使是一家的畫法，於不同尺幅的作品之中，山石或高踞山頂，或映帶水畔，形勢也是多變的。即使像米家山水那樣全用墨點暈染而成，不需要先勾外廓，也不代表其中就沒有涵蓋勾廓的法理。山石的外廓，通過層層烘染的辦法襯托出來，對法度的要求依然嚴格。

聚一

聚二

聚三

聚四

聚五

大間小、小間大之法

樹木有穿插之法，山石也有穿插之法。樹木的穿插主要在枝柯，山石的穿插更在血脈。大小相間就像下棋。水邊的山石如同小兒繾綣依偎在母親的身畔，環山的山石狀如老人伸出手臂領着兒孫。這就是有血脈相連啊。王繹說：山石的畫法，先從淡墨畫起，便於塗改補救，漸漸使用濃墨才好。還說：畫山石有訣竅，用藤黃調墨作畫，自然墨色滋潤。但不能加多了，多了行筆就會滯澀，或者用螺青調墨作畫，效果也很好。

小間大法

大間小法

畫石間坡法

黃公望、倪瓚畫山石多與土坡相間，一看就知可以
坐臥。水邊竹下正適合這樣安置，留作隱者遊息。
切忌一味粗蠻險怪，讓人望而生畏。

董源、巨然石法

這是披麻皴法。董源、巨然及
趙孟頫、黃公望、吳鎮等人都
用這種皴法。其中有一種正
面凸起如鼻樑的石法，叫「石
隼」，黃公望特別喜歡畫這種
結構的山石。

倪瓚石法

倪瓚畫山石效仿關仝，然而關
仝用中鋒，倪瓚多用側鋒，更顯
秀潤。正所謂取法要揚長避短。

吳鎮石法

吳鎮用披麻皴是最熟練的，而
且能於熟練中見生拙，這是其
他畫家做不到的。

王蒙石法

這是披麻皴夾雜解索皴的畫法，只有王
蒙擅長。王蒙是趙孟頫的外孫，畫學趙
孟頫，而畫石有青出於藍的聲譽。

黃公望石法

黃公望是常熟人，有人說他的畫大都是虞山層層起伏的石貌。像王宰＊是蜀人，多畫蜀中山水，石形玲瓏剔透，嵯峨峭拔，畫家所畫各因所習見之物，這話一點不假。所以黃公望畫石師法荊浩、關仝，又進行了省減改造，用筆如錐畫沙，風格更加高逸清簡。

＊ 王宰（生卒年不詳），唐代畫家，四川成都人。善畫山水、松石等。代表作有《四時屏風圖》《臨江雙樹圖》等。

136

二米石法

這是點皴夾雜微小芝麻皴的畫石方法。
米友仁父子在畫高山密林時，偶爾用它。
畫法層層點染，以煙雲潤澤為主，雖然
不露山石的筆法棱角，但細看山石邊框
的下筆處，其實是披麻皴法。

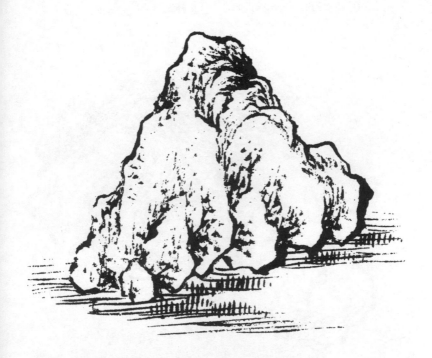

◎皴法

元四家畫石及各種皴法，我已作了簡單的介紹。然而畫法有專工和兼能之別，皴法也有工拙之分。既已引人登堂，更應導之入室。像王維畫石用飛白筆法，郭熙畫石似雲頭攢動。董源石形娟秀，呈現江南意景；李思訓石形如洶湧波濤，使人想起海外仙山。有幾家都習用同一種皴法的，也有的一人擅長多種皴法。有的畫家本不擅長此種皴法，卻在技巧純熟中無心流露而酷似的，都不能機械地理解。現在把各家皴法一一列舉，以待深入闡明，存留其人之名。在這一段中，皴法還有沒提到的，後面講山頭畫法時再補充。

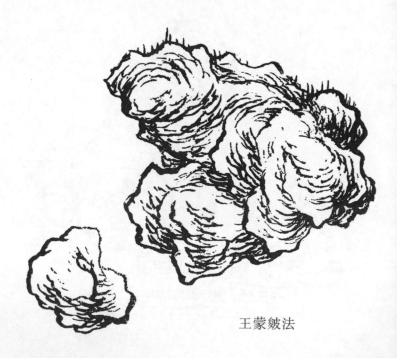

王蒙皴法

范寬、夏珪皴法

黃公望皴法

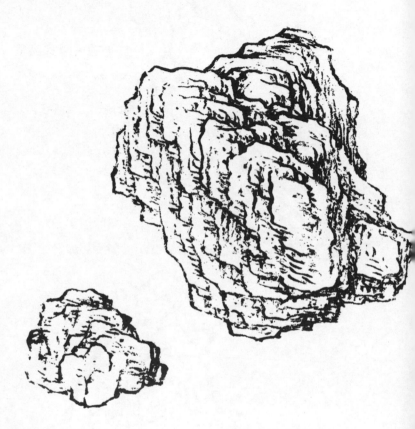

荊浩、關仝皴法

馬遠皴法

劉松年皴法

徐熙皴法

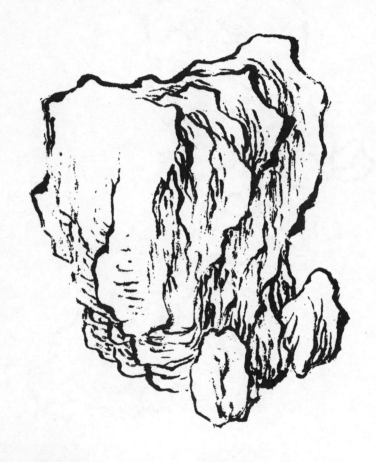

解索皴法

范寬常這樣畫石。

大斧劈法

馬遠、夏珪經常用這種方法畫石。

亂柴亂麻二石法

元人經常這樣畫石。

小斧劈法

原本創自劉松年、李唐，唐寅＊學
此皴法，深得其中的奧妙。周臣＊、
沈周都用此法。

＊ 唐寅（1470 年—1524 年）字子畏，號六如居士，
　　明代畫家，吳縣（今江蘇蘇州）人。隸屬吳門畫
　　派，「明四家」之一，擅畫山水、人物、花鳥，
　　代表作品：《騎驢歸思圖》《山路松聲圖》等。

＊ 周臣（生卒年不詳），字舜卿，號東村，明代畫
　　家，吳縣人。隸屬吳門畫派，代表作品：《春山
　　遊騎圖》《春泉山隱圖》等。

披麻間斧劈法

王維常用這種畫法。

荷葉皴法

王維皴法的變體，全以筋骨為主，
設色用石青、石綠。

折帶皴法

倪瓚擅用此法。

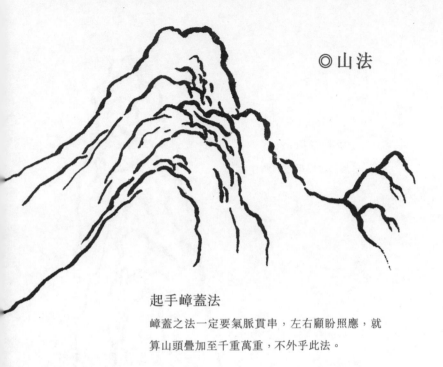

◎山法

起手嶂蓋法

嶂蓋之法一定要氣脈貫串，左右顧盼照應，就算山頭疊加至千重萬重，不外乎此法。

畫山先定輪廓，再施皴法。今人從局部畫起堆積成大山，這是最大的毛病。古人製作大幅作品，只有三四個開合，所以章法結構一目了然。雖然其中有很多細節與皴法的變化，要點是以畫面大勢為主。這是元代人的山水畫論。二米和高克恭三家的作品體現了我的想法。

古人說：有筆有墨。「筆墨」二字，很多人不明白指甚麼，畫怎麼會沒有筆墨呢？只有輪廓而沒有皴法，就是所說的「無筆」，雖有皴法卻沒有輕重向背的變化，就是所說的「無墨」。但輕重向背的變化並不是在皴法填滿輪廓之後才得以顯現的，而是在輪廓初定時就已經具備了。這就像造屋一樣，要上椽子先要架好棟樑，棟樑架好了，即使有巧匠魯班也不能用椽子換掉承重的拱結構。

峰形峻拔法

形勢險峻挺拔的叫作峰。

巒勢團轉法

形勢圓轉的叫作巒。

152

開嶂勾鎖法

身體各部分尚未長成之時，鼻樑就已經長出。最初
落下的一筆就是所謂正面山的鼻樑。再經通體揣摩
觀察，更為重要的是顴骨。畫出山頂的一筆也就是
所說的「嶂」，正是山體的顴骨。此處的起伏形勢
是一山的主脈，氣脈互相通連，以至於整幅作品中
一樹一石都以它為主導貫串始終，嶂存有君臣關係
中的君相。所以郭熙畫主山，想要挺拔，想要
蜿蜒，想要軒昂，想要渾厚，想要雄壯而精
神，想要顧盼而威嚴。上有嶂蓋，下有承
接，前有所據，後有所倚，開嶂勾鎖
之法就是這些了。

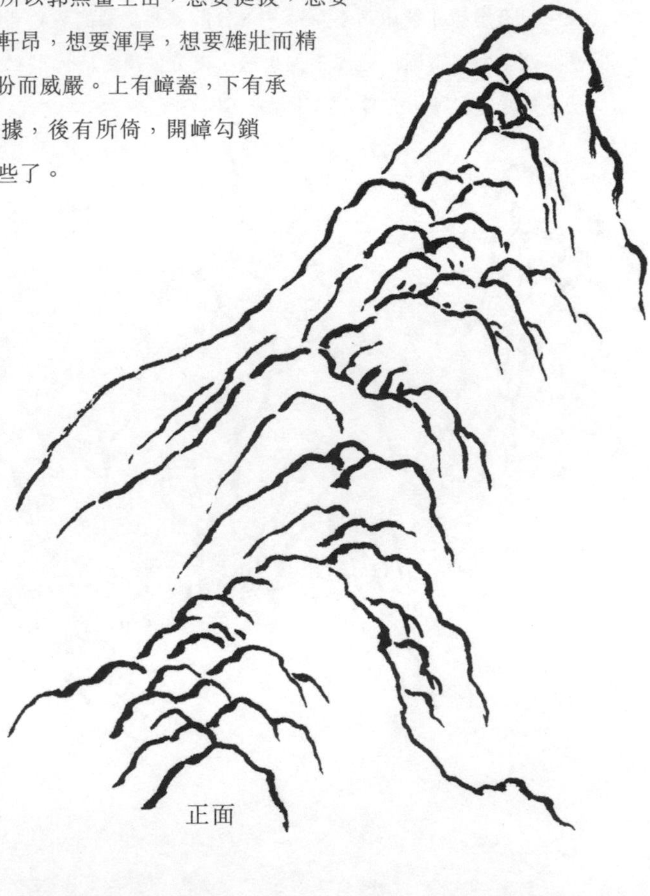

脈絡

正面

賓主朝揖法

王維説：畫山應先審度氣象，再觀陰陽，定出賓主朝向，列出峰巒儀形，峰巒太多容易雜亂，峰巒太少又容易散漫。

山有高低。高山血脈在下，肩膀和腿腳舒展，根基雄厚，峰巒環繞，疊相映帶連綿不絕，這是高山的畫法。只有這樣才能做到不孤立不雜亂。矮山血脈在上，山頂平緩，頂端互相攀聯，根基龐大，堆疊臃腫，深深植入地下，這是矮山的畫法。只有這樣才能做到不單薄，不分散。要讓圖譜看起來輪廓分明，脈絡清晰，這裡不加皴法，以方便學習的人觀察畫法。皴法有多種，已都見於各大家山頭石畫法中。

主山自為環抱法

前圖主山尚需藉助客峰來襯托它的氣象，現在再談談
主山自為環抱的畫法。因主山氣勢開張，包羅萬象，
無需藉助外景襯托，所以更顯深沉蒼鬱。這就是所
說的直賦對象無需陪襯的手法。和前圖相比，前圖如
君主駕臨朝堂，接受群臣朝揖；此圖則如君主恭敬沉
思，深宮獨處之時。王維曾用這種方法畫主山。

又賓主朝揖法

又主山自為環抱法

159

山論三遠法

畫山水有三遠法。從山下仰望山巔稱為高遠，從前山望見後山稱為深遠，從近山望到遠山稱為平遠。高遠之法山勢突兀，深遠之法山勢重疊，平遠之法情致平和。這是整幅畫大的章法結構。

深而不遠就會層次淺薄，平而不遠就會景象淺近，高而不遠就會山勢低矮。只要山水畫中犯下這些毛病，就如同面對淺薄鄙陋、奴僕賤役、凡夫俗子一樣，山中隱士只有拋棄廬舍丟下書卷，捂着鼻子急忙逃避了。

然而想要表現出既遠亦高，應該用瀑布流泉襯托。雁蕩千尋瀑，匡廬三疊泉，不是高遠是甚麼？遠想要表現出深，應該用雲襯托。玉女峰青蔥迷蒙，明星峰蒼翠雲封，不是深遠是甚麼？遠想要表現出平，應該用煙雲襯托。裴迪詩中華子岡的明，王維筆下愚公谷的冷，不是平遠是甚麼？

高遠法

深遠法

平遠法

平遠巒頭法

◎巒頭法

主山的脈絡已經知道，輪廓勾畫已經熟習，那麼各
家的皴法先學誰呢？回答說：董源是皴法的集大成
者。他的皴法蒼勁老練，適合入手練筆。筆法熟練
之後，其他皴法也就不難了。而且學畫最怕入門時
學壞了手法，只有這種皴法是不會學壞手的，這可
能是我偏愛他吧？

董源

董源畫峰巒清曠幽深，意趣高雅古樸。評論家說他
水墨山水畫像王維，着色山水畫像李思訓。好用披
麻皴，着色厚重古雅。元代四大家如黃公望、倪瓚
多學習效法他。黃公望晚年雖改變畫法自成一家，
卻始終不能超出董源的法則。

巨然

巨然得董源真傳，筆墨秀潤，擅長畫煙雲掩映的山巒。巨然山水早年多畫礬頭，中年峻秀峭拔，晚年平淡雅致。另外，巨然在峰巒頂部凹處和山林中，常用卵石點綴，不可不知。

荊浩

荊浩擅長畫高聳入
雲的山頂，四面峻拔渾
厚。他曾經嘲笑吳道子有
筆而無墨，項容有墨而無筆。
現在來看荊浩的皴法，真的筆
筆既是筆，筆筆又都是墨。所
以關仝才拜荊浩為師。

關仝

關仝師法荊浩，晚年有青出於藍的名聲。不守繩
墨，筆墨趨於簡率而氣勢更加雄壯，景物雖少而意
蘊深長。輪廓轉折多變，用筆如印印泥，顯得古雅
秀潤。李成師法關仝，郭忠恕也繼承了關仝的畫法。

李成

李成師法關仝，畫煙雲變幻，
泉石幽險閒適，都能各盡其
妙。評論者說他能得山水的體
格風貌，是古今第一大家。

范寬

范寬起初師法李成，後來又學習荊浩。在山頂處多畫茂密的樹林，在水邊喜歡畫突兀的大石頭。常感歎說：「師法古人不如師法大自然啊！」於是遷居到終南山、華山一帶，遍覽名勝奇跡，下筆雄健熟練，確實稱得上是擅長描寫山骨的畫家。名聲與關仝、李成並稱，但晚年用墨太多，土石不分了。

李思訓

李思訓善用小斧劈皴，筆法遒勁異常，這就是北宗，人稱「大李將軍」。善用金碧畫山水，自成一家。作品肉中有骨，豐潤中透出崢嶸的氣勢。後人畫設色工筆山水，往往以李思訓為宗，卻大都不得要領。他的兒子李昭道稍稍改變了體勢，筆力雖不及其父親，卻也足以傳世了，人稱「小李將軍」。宋代的趙伯駒、趙伯驌、馬遠、夏圭、李唐、劉松年等人都宗法李思訓。元代的丁野夫＊、錢選＊以至明代的仇英＊都模仿他，然而僅能做到他的工致卻未能做到他的古雅。到了戴進＊、吳偉＊等人，更漸漸淪為旁門左道，北宗也從此衰落了。

＊ 丁野夫（生卒年不詳），元末明初雜劇家、散曲家、畫家，西域人。著有《俊憨子》《望仙亭》等。

＊ 錢選（1239 年—1299 年），字舜舉，號玉潭，元代畫家，湖州人。擅長工筆花鳥畫，代表作有《秋瓜圖》《浮玉山居圖》等。

＊ 仇英（約 1498 年—1552 年），字實父，號十洲，明代畫家，江蘇太倉人。擅長畫人物畫，特別是仕女，「明四家」之一，代表作有《竹林品古》《漢宮春曉圖》等。

＊ 戴進（1388 年—1462 年），字文進，號靜庵，又號玉泉山人，明代畫家，浙江杭州人。戴進是明初「浙派」創始人，擅長山水、人物、花鳥。代表作有《春山積翠圖》《三顧茅廬圖》等。

＊ 吳偉（1459 年—1508 年），字次翁，號小仙，明代畫家，江夏（今湖北武漢）人。隸屬「浙派」，擅長人物畫，代表作有《武陵春圖》《採芝圖》等。

王維

山水畫從王維開始使用水墨渲染，改變了之前注重勾斫的技法傳統。文人畫是從王維這裡發端的，這就是南宗。後來得到傳承的董源、巨然、李成、范寬等人稱得上是嫡系，至於荊浩、關仝、張璪、畢宏＊、郭忠恕等人也都師法王維。宋代的米芾父子、王詵＊、李公麟，元代趙孟頫等人都是從巨然學來的，直到元四大家王蒙、黃公望、倪瓚、吳鎮，也都是這一派的正傳。明代的文徵明、沈周，則接續了王維的畫風。

＊ 畢宏（生卒年不詳），唐代畫家，唐朝京北（今陝西西安）人。擅畫山水、松石，代表作有《松石圖》《雙松圖》等。

＊ 王詵（1048 年—1104 年），字晉卿，宋代書畫家，山西太原人。代表作有《漁村小雪圖》《煙江疊嶂圖》等。

李唐

李唐把李思訓的皴法放大，用盡筆力揮掃而成，變李思訓的小斧劈皴為大斧劈皴。宋徽宗說：今天的李唐可與李思訓並列。時人因此稱李唐、李思訓為「二李」。劉松年最初師法張敦禮，畫風精妙入神，名氣超過老師，後來他又把李唐、李思訓的大小斧劈皴法融會貫通而成一家之法。

劉松年

劉松年師法張訓禮＊。張訓禮以前叫張敦禮，為了
避宋光宗趙惇的諱才改成了現在的名字。張敦禮師
法李唐。今人只知道劉松年的山水遠宗李思訓，卻
不知道探本溯源，實際上來源於張敦禮。

＊ 張訓禮（生卒年不詳），
　本名張敦禮，南宋畫家。

郭熙

畫山水寒林師法李成，擅長描寫煙雲出沒之態。佈局、筆法，當時最有名。早年所作工整巧麗，晚年筆法趨於雄壯。畫山雲聚山頭，感覺非常雄偉壯麗。古人說：夏天之雲多聚奇峰，這是天然的圖畫。那麼郭熙是在師法大自然啊。元代畫家只師法董源、巨然，而曹知白、唐棣＊、姚廷美＊、朱德潤＊等人則師法郭熙。

＊ 唐棣（1296 年—1364 年），字子華，晚號遁齋，元代畫家、詩人，浙江吳興人。代表作有《霜浦歸漁圖》《松蔭聚飲圖》等。

＊ 姚廷美（生卒年不詳），字彥卿，元代畫家，浙江吳興人。

＊ 朱德潤（1294 年—1365 年），字澤民，號睢陽山人，元代畫家、詩人，河南睢陽（今河南商丘）人，居崑山。代表作有《秀野軒圖》《松下鳴琴圖》等。

李公麟

集顧愷之、陸探微、張僧繇、吳道子諸家之長以為
己用，作畫多不設色。評論者說他山水畫像李思訓，
灑脫處像王維，堪為宋畫第一。

蕭照 *

蕭照師法董源，而皴筆比董源更為遒勁，尤其喜歡
畫奇峰怪石，望去有波濤洶湧、雲聚風捲的氣勢。

* 蕭照 (生卒年不詳)，字東生，南宋宮廷畫院畫家，濩澤 (今
　山西陽城) 人。代表作有《山腰樓觀圖》等。

李成

這是李成描繪廬山和浙東一帶山水的筆法。書法所
說的「書貴瘦硬方通神」，李成的山水畫就充分體現
了這一點。

江參 *

師法巨然，其皴法稍有變化，俗稱泥裡拔釘皴，點苔
常作長點，形狀如錐，也有一種蒼奧風韻。

* 江參 (生卒年不詳)，字貫道，南徐 (今江蘇鎮江) 人。代表
　作有《百牛圖》《千里江山圖》等。

米芾

米芾用王洽的潑墨法，摻雜着破墨、積墨、焦墨等法配合使用，所以筆墨層次渾厚耐看。人都說米芾善於用墨，而我認為米芾善於用筆。米芾的用筆施用於書法，往往劍拔弩張；施用於繪畫，就只覺得圓潤渾厚了。圓潤還可以通過熟練形成，渾厚卻一定是從天分中帶來的。缺少天分的人，學米就跟讓商鞅去效法黃憲、顏回一樣，是不可能的。米芾雖然學習王洽，畫法卻源自董源。近人學米要麼太模糊要麼太顯露，兩方面做得都不好。其筆墨顯露處如纖雲銀河，群星璀璨，而今人學米，輪廓和皴點就像鐵線穿豆豉一樣；其筆墨模糊處如神龍矯健，忽隱忽現，而今人學米墨點如堆糞草，畫面髒亂不堪。那麼怎樣學米呢？答：用筆像錐子，用墨如飛翔。又答：惜墨如金，下筆就像巧弄彈丸，筆痕墨跡互相交融，這才是米氏的真面目。

米友仁

二米的山水不就像大理石屏風上的天然圖畫嗎？要不然今人
為甚麼就學不好他們呢？米友仁在他父親基礎上加以變化，
於一派煙雲變幻的飄飄緲緲中，恍見層樓疊閣之形藏於其內，
將宋畫的常見套路拋得一乾二淨。米友仁之於其父就如蘇軾
之於蘇洵，其變固然是不得不然，但其中自有不變的東西。

倪瓚

倪瓚、黃公望、吳鎮、王蒙被稱為「元四大家」。黃公望、王蒙都師法董源，作畫好用側鋒，而倪瓚用側鋒更多。倪瓚的皴法給人一種水盡潭空的感覺，用筆簡而又簡。其他皴法繁縟的畫家，還能藏得住一兩處敗筆，倪瓚筆簡意繁，敗筆無處可藏。而且畫山石輪廓大都作方解石體勢，依然是關仝的畫法。只是關仝用中鋒，倪瓚則運用側縱。所謂側縱，既不是把筆鋒一味側臥紙上，也不是只用筆尖按在紙上輕畫，而是用筆極為靈活，所以才能縱橫揮寫，八面出鋒；行筆極為灑脫，筆端毫末，遒勁有力。這種畫法是最難的，如果不是從董源等大家入手到出神入化的地步再將各家皴法千錘百鍊，是不可能達到無筆處皆有畫意的高妙境界的。而今人只要看到丘壑淺近的山水，就說是倪瓚一路，這真是小看倪瓚了。我在此鄭重地詳細介紹倪瓚的畫法，並把他的山水畫體勢分為兩類：一類是平遠，一類是高遠。以顯示出其高遠一路仍屬關仝畫法，平遠一路沒有離開董源。

倪瓚高遠山畫法

倪瓚平遠山畫法

黃公望

黃公望畫山與董源相類，又能變化，自成一家之體。山頂多畫岩石，別有一種風度。凡下筆必有凸凹變化，山石外部輪廓追求奇絕峭拔，筆法直中有曲，一筆多次頓挫，中間直筆加皴，挺拔有氣勢，這是黃公望的獨特畫法。這裡列舉他的兩幅山頭畫。一個是石山穿插土坡，土石參半，一個是純粹的石山。後學者應當審視具體情況酌情使用。

黃公望純石山畫法

黄公望石山穿插土坡畫法

王蒙

王蒙用古篆隸筆法摻入皴法，如同金剛鑽鏤刻石塊，鶴嘴劃
過沙地。雖然說起來是師法趙孟頫，其實是自出心裁。用筆
尖細而不稚嫩，剛勁而不刻板，曲筆纏繞但不亂成毛團，方
筆沉着但不妄生棱角。他模仿唐宋諸家之作，無
不逼真，元代被推為第一。大凡師法
一家，不能固守一家筆法。像王
蒙這樣的人，與各家相比，
真是一點也不遜色啊。

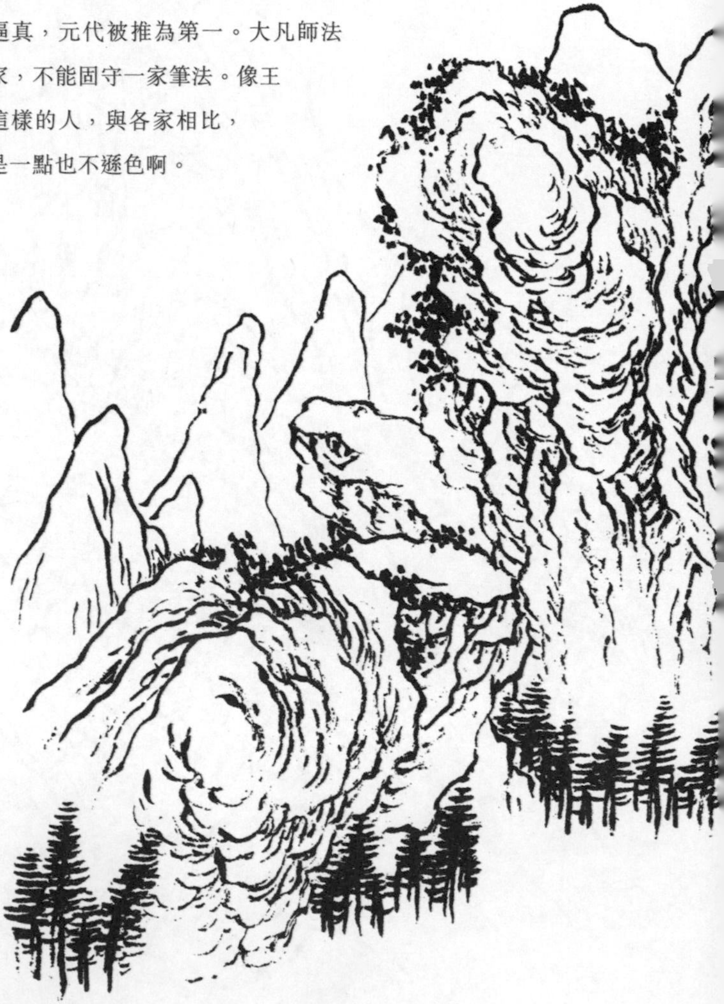

吳鎮

吳鎮畫山師法巨然，粗率中極盡
高妙。山上多石，點苔用攢聚點。

191

解索皴

這是解索皴法，只有王蒙善用此法，精彩絕倫。他
還在皴法當中加入了披麻皴與攀頭皴法。層次不到
的人學這種皴法，不明就裡，就會筆法生硬刻板。
這裡舉出來聊備一體。

亂麻皴

小姑娘抖亂麻團，一時間驚慌失措，不知從何下手，尋出頭緒，這也可以稱得上是皴法嗎？答：不對，不對。亂麻皴如網在綱，有條不紊。學古人的這種皴法就要做到拎得起，抖得開，抖得開又要在碎亂中見到嚴整的法度。

亂柴皴

在這之前我一一注明了某人用某種皴法，這裡只標皴法名稱，而不注明
專屬於某人。即便是論及此皴法時提及某人，也是出於表述的需要。因
為亂柴、亂麻在皴法中是變體，所以我不得不列入變例。況且各家都曾
偶爾用一下，所以很難專屬於某一家。

194

荷葉皴

因皴筆之間筋脈相連像荷葉的形
狀，這就是「六書」中的「象形」
造字法啊。董源常用此法，近世
藍瑛也喜歡用這種皴法。

◎坡進磯田石壁法

坡有石坡，有土坡，有土石錯雜坡。安置坡的位置，有上平下寬穩固如倒扣盂形的，有上開下合挺立如菌形的，有直插雲端形如象鼻的，形勢各有不同。坡面造型應該光潔平整，坡側皴筆應該交接縝密，以利表現土石久經風雪剝蝕，紋理自然，就算是用披麻皴也要稍微雜入斧劈皴法用來取其峻峭。坡面如果用石綠淡膘以及草綠，那麼坡側應當用赭石；坡面如果用赭石稍加藤黃，被稱為「赭黃」的顏色，那麼坡側就應該用赭石或赭墨，但在靠近邊框的位置還是要施以淡赭來分出層次和輪廓。

高坡法

196

石面坡法

黃公望最喜歡畫坡，常在山頭
層層疊加，一筆筆畫出生疏的
效果。

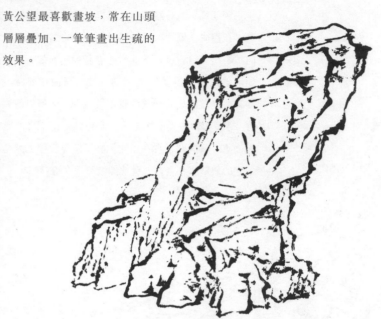

平坡法

山坡路徑法

桃花源仙境，還有路可通；遍地蓬蒿，更應開闢小路。丘壑既已繁複，道路還要斟酌。畫道路最好曲曲折折，或隱或現，不能一味僵直如同死蛇，曲折如同鋸齒。近世畫家的個別佳作，只因畫道路不妥，白璧微瑕，而使整幅畫面減色不少。所以前人有「有好山無好路」的說法，路徑就是山水畫的點題之處。隱居避世者在山中居住，道路實際上就是他們的眉目，要讓人一看就知道這裡有道存在。

山田法

挖井耕田，是山中人最本分的事情。所以溪水邊，山花外，山田一定不可缺。秧苗麥浪，又都是五穀豐登的佳兆。盛懋畫《豳風圖》，平地田壟一望無際，純用石綠染於絹素之上，又用草綠染出田疇的方界，再用草綠細細點染。在層層分佈中，可以想見豐收年景，山裡人再也不怕餓肚子了。

平田法

柴門臨水稻花飄香，水田漠漠的景象，平遠山水中
這種畫法最適合。如果畫春田，就用石綠或草綠敷
染；如果畫秋田，稻田開始收割，或再生稻穗滿溝
的時節，就用赭黃敷染田界之內的部分，田埂和土
坡側面則用純赭敷染來顯示分別。

石磯法

石壁露頂法

石壁露根法

坡陀法

◎ 流泉瀑布法

石為山骨，泉為石骨。有人說：水性至為柔順，怎能以骨相稱？我說：要論穿山過石，身負巨靈神般的開山之力，沒有比水性更加剛強的，所以焦贛才稱道「水生骨」的說法。況且水細則飛流濺沫，水大則河滿海盈，即便點滴之水，難道不也是天地的血髓嗎？血孕育而生骨，髓滋養而潤骨。骨無髓就成了枯骨，骨枯了，與土壤也就沒有甚麼區別了，就不能稱為骨。可見山之所以能成為天地之骨，是因為水的滋養啊。因此古人畫泉，非常審慎鄭重，以至於有「五日一水」的說法。現在將各種泉水畫法分圖羅列，並把黃公望全體都露的泉法放在最前面。一道流泉貫穿青山陡峭之處，又怎麼能不稱為骨呢？

黄公望泉法

山口分泉法

亂石疊泉法

畫亂石堆中曲折重疊的泉水，想要使人
恍惚聽到水石相激的聲音，就要把泉水
的力量導向沒有山石的空虛處，積聚在
山石的凌亂處。

雲流泉斷法

畫流泉，古人多用雲氣掩
映。不過畫雲時不能露出筆
墨痕跡，只用顏色輕輕漬染
而出，才是妙手。

懸崖掛泉法

細泉法

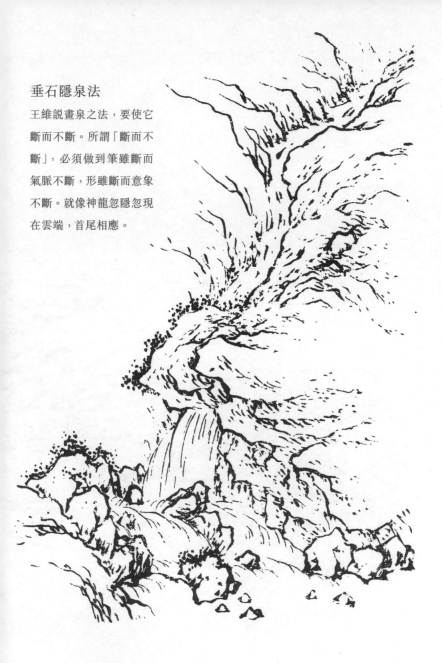

垂石隱泉法

王維說畫泉之法，要使它斷而不斷。所謂「斷而不斷」，必須做到筆雖斷而氣脈不斷，形雖斷而意象不斷。就像神龍忽隱忽現在雲端，首尾相應。

平泉法

兩泉疊法

三泉疊法

大瀑布法

石樑垂瀑布法

◎水雲法

溪澗漣漪法

山有平遠景象，水也有平遠景象。風平浪靜，雲去月來的時候，煙光浩淼，望不到邊。大到江海，小到溪塘，一時冷寂無聲，水的本來面目就顯現出來了。

江海波濤法

山有奇峰，水也有奇峰。風捲怒濤，巨浪排山，海月初上，大潮像成群奔馳的白馬。這時候，滿眼看到的都是崇山峻嶺。吳道子畫水，整夜都可以聽到水聲，不僅善於畫水，而且善於畫風。曹仁希＊畫萬流曲折，沒有一筆錯亂，不僅善於畫風，而且能畫無風自起的層層波浪，畫水的技能也就齊全了。

＊ 曹仁希（生卒年不詳），宋代畫家，字企之，毗陵（今江蘇常州）人。擅長畫水。

223

細勾雲法

雲是天地之間最大的飾物。它為山川披上錦繡，迅疾如奔馬，碰上石頭好像能發出聲音，雲的氣勢大約如此。古人畫雲，有兩大秘訣：一是在千岩萬壑密集處，用白雲表現閒散。在蒼翠插天處突見白雲橫拖，層層掩映，到山頭雲散處，山頂青髻再現，就像文章作家所說的「忙裡偷閒」法，反而讓觀者看得目眩神迷。一是在山水中一丘一壑的太閒處，用白雲點綴填補。在水盡山窮的地方，凸顯層次，陡如大海揚波，幻作層巒突起。就像文章作家所說的「引詩請客」法，以增添文勢。山水各法中，我把雲放在最後，也是因為古人說雲是山川的總領。在一派虛無浩渺的氛圍中，隱藏了無限的山皴水法，所以人們把山稱為「雲山」，把水稱為「雲水」。

大勾雲法

畫雲用純色漬染，看起來像層雲疊起，實際上沒有筆墨痕跡為上等。如果畫青綠山水和比較工細的皴法，想要做到筆法統一，就要用淡墨勾雲，用淡青敷染。另外，唐人畫雲有兩種辦法：一是吹雲法，就是用薄薄的白粉染在絹上，勢若層雲，隨風浮動，清淡可人，最為雅致；一是勾粉法。在金碧青綠山水中，用白粉沿墨線細細勾出。李昭道多用這種畫法，氣勢雄壯，畫面更顯得鮮明。

227

人物屋宇譜

◎ 點景人物法

山水畫中點景人物的畫法，不能過於工細，也不能太過平淡而毫無情態，一定要表現出人物與山水的顧盼呼應。人好像在看山，山也好像在俯身看人；琴聲像是聽從明月，明月像是靜聽琴聲，才能讓人頓生欲身臨其境，與畫中人分一席地的強烈感受。不然，山只是山，人只是人，反而不如倪瓚山水的空無一人好。畫中人物要清癯如鶴，望之如仙，不能沾染半點市井俗氣，成為煙霞之境的污點。這裡把行、立、坐、臥、觀、聽、侍、從等項畫法，略舉一二，並配以唐宋詩句，以此表明山水中點綴人物就像作文中的點題，一幅畫的題目全部集中在人物身上。古人作畫慣例都有題詠，但這裡所標的詩句，並不是刻板拘泥某種人物一定要寫某個詩句，只不過偶爾舉例，方便後學者觸類旁通罷了。

緩步式

閒賞步易遠
野吟聲自高

負手式

秋山負手行

袖手式

爐熏袖手不知寒

231

獨立式

獨立蒼茫自詠詩

把菊式

採菊東籬下

悠然見南山

荷鋤式

明月荷鋤歸

題壁式

看山詩就旋題壁

對談式

偶然值鄰叟

談笑無還期

繫杖式

攜錢過野橋

指點式

指點寒鴉上翠微

撫松式

撫孤松而盤桓

倚杖式

倚杖聽鳴泉

據石式

高雲共片心

臥讀式

臥觀《山海經》

藜杖式

藜杖全吾道

閒看式

閒看入竹路
自有向山心

看雲式

行到水窮處
坐看雲起時

拂石式

拂石待煎茶

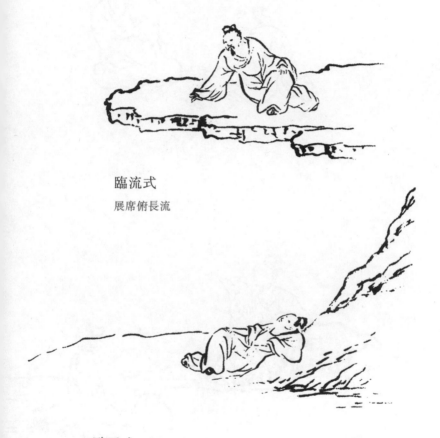

臨流式

展席俯長流

臥雲式

雲臥衣裳冷

對酌式

二人對酌山花開

觀書式

時還讀我書

坐談式

今日天氣佳

清吹與彈琴

賞畫式

奇文共欣賞

241

對弈式

棋聲消永晝

檢書式

晴窗檢點白雲篇

濯足式

山澗清且淺
遇以濯我足

賞菊式

坐開桑落酒
來把菊花枝

寂坐式

寂坐正吟詩

攜卷式

一卷冰雪文

避俗常自攜

相對式

勝事日相對

主人嘗獨閒

對談式

釣魚式

擔柴式

春耕式

歸漁式

濯足式

濯足萬里流

撒網式

江湖滿地一漁翁

持篙式

蕩獎式

撑篙式

搖櫓式

垂釣式

湖光上綠簑

扳罾式

有蛟寒可罾

騎驢式

詩的靈感在灞橋路

風雪中驢子背上

騎馬式

征馬望春草

行人看暮雲

駝背式

春郊見駱駝

牛背式

花間吹笛牧童過

捧書式

提壺式

捧茶式

抱瓶式

掃地式

捧硯式

折花式

抱琴式

洗盞式

煎茶式

洗藥式

抱膝式

牽馬式

擔行囊式

擔書式

負書式

兩人看雲式

獨坐觀書式

四人坐飲式

促膝式

兩人對坐式

吹簫式

跌跏式

撥阮式

獨坐式

漁家聚飲式

鳴弦吹笛式

釣魚式

獨坐看花式

燒丹式

垂竿式

策蹇式

遮傘式

提壺式

肩挑式

御車式

258

折花式

擔囊式

倚童式

攜童式

樵夫式

三人對立式

同行式

回頭式

對談式

攜手式

曳杖式

兩人行立式

兩人對語式

一人行立式

負手式

曳杖式

三人對坐式

獨坐式

兩人對坐式

攜孫式

騎驢式

抱琴式

鋤地式

肩輿式

負物式

推車式

正面式

背面式

騎馬式

騎牛式

◎極寫意人物式

這幾種人物畫法，稱得上是寫意中的寫意了。下筆要靈動、
活潑，像書法家張旭的狂草。而草書與楷書相比更難寫。所
以古人說：匆忙之間來不及草書。就是因為草書的點畫比楷
書更難。所以談到「寫」後面就一定要有個「意」字，是為了
說明沒有「意」就不能下筆。必須做到不畫眼睛卻有專注細看
的樣子，不畫耳朵卻有仔細傾聽的狀態，從側旁顯示出來，
在一筆兩筆之內，刪繁就簡，達到最簡，趣味天然。實有幾
十上百筆所不能呈現的意趣，而這一兩筆偶然得到了，才算
是精妙入微。

對立式

對語式

折花式

倚石式

醉扶式

把書式

聚坐式

◎點景鳥獸法

山水中鳥獸的各種畫法，雖只是畫中的細枝末節，但卻關係重大。比如
要畫春天，春天固然無從描畫，但只要添畫一隻鳴春的斑鳩或雛燕，不
是春天又是甚麼？再如要畫秋天，秋天無從描畫，但只要添畫一隻或飛
或宿的鴻雁，不是秋天又是甚麼？這與通過樹的畫法不同來區分季節是
一個道理。至於表現拂曉，也無從描畫，但只要畫出棲鳥飛出林，吠犬
守門戶，不是拂曉又是甚麼？要畫傍晚，傍晚畫不出，只要畫出雞進窩
棲息，鳥在樹藏身，不是傍晚又是甚麼？要畫雨就要有雨鳩鳴叫，要畫
雪就要帶鴉群襯托，以及通過牛馬的形態知道風向不同之類，作品的生
動之處，就都在這裡了。

春郊滾馬式

雙馬飲泉式

負驢式

牧牛行臥式

白羊行臥式

鳴鹿式

雙鹿式

臥犬式

吠犬式

雙燕頡頏式

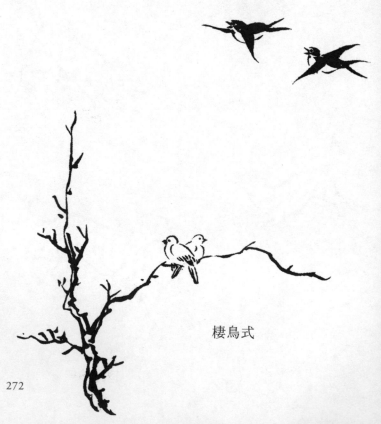

棲鳥式

272

棲鴉式

雲鴉式

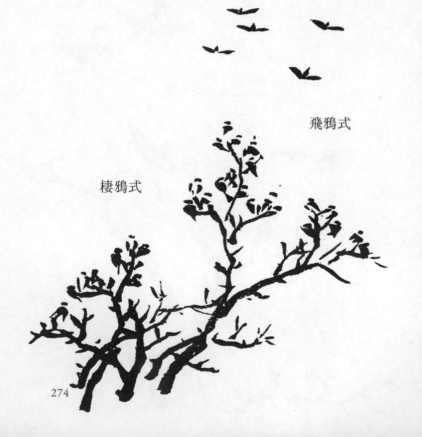

飛鴉式

棲鴉式

274

飛鶴式

鳴鶴式

雙鶴式

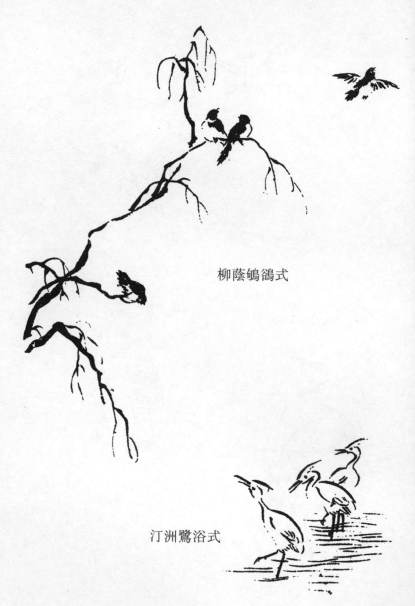

柳蔭鶺鴒式

汀洲鷺浴式

鳴雞式

雞雛式

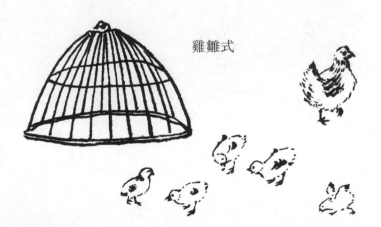

平沙宿雁式

飛雁式

春水泛鵝式

竹欄養鴨式

◎穿插牆屋法

山水畫中有廳堂門戶，就像人有眉目。人沒有眉目，就是盲人禿頂。但是即便眉目姣好，也要佈置適宜。眉目不可少，但也不可多。假如有人渾身是眼，就成怪物了。畫屋宇不懂得審察地勢和穿插向背，只顧層層疊加，和怪物又有甚麼區別？所以我認為房屋的畫法，必須端詳山水面目天然所在的位置。畫面大到幾丈，小到寸紙，安置房屋，最多只能有一兩處。山水有了人居，就有了情趣。但居處龐雜，就純是市井氣了。近世的畫中能把屋宇安排妥帖的，只有幾人而已。這幾人之外，山水畫雖然也有工整的，但所畫房舍，不是像螺螄殼裡做道場就是像兒童壘土為屋的遊戲，毫無章法結構。姚允作畫時，即使是一兩間分寸大小的屋宇，也要前後通達，曲盡其情，大有山與屋互相顧盼之妙，可以稱得上善於學古之人。

牆屋正面式

所謂眉目，門戶為眉，庭堂為
目。眉應當修長，所以牆應當
彎曲環抱。目不應當過於暴
露，所以內屋應當斂氣含蓄。
體式有兩種，上式應當安置在
平地，下式應當根據山勢壘
砌。其餘可以參照此法。

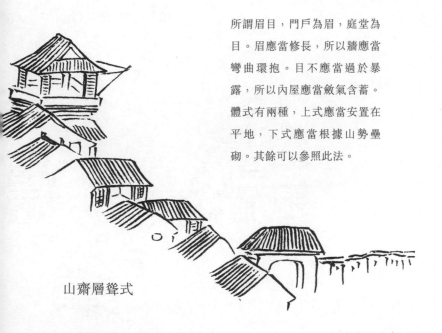

山齋層聳式

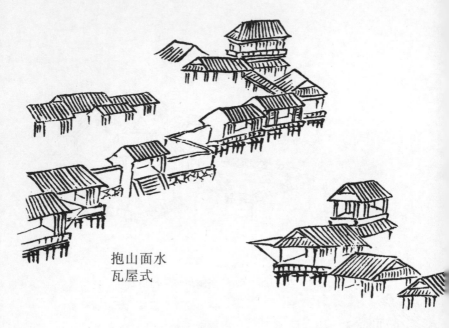

抱山面水
瓦屋式

水檻兩岸相對畫法

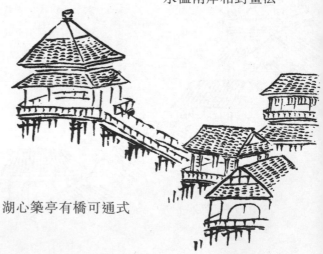

湖心築亭有橋可通式

或安置竹林之中，或依傍梧桐
之下，書屋高聳，四面開窗，
正是面面都有景觀的畫法。

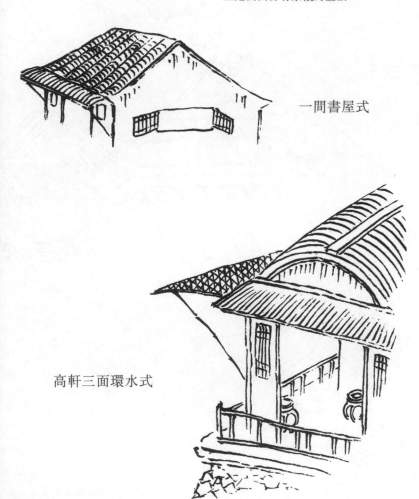

一間書屋式

高軒三面環水式

此處或用渲染法點綴叢樹，
或用石壁枕墊，都可以。

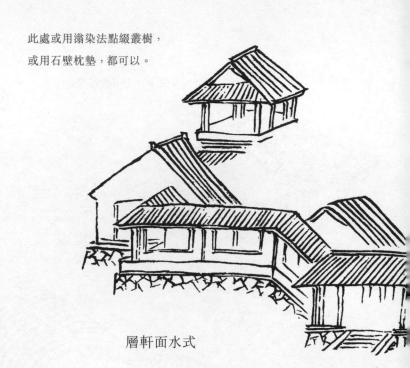

層軒面水式

山凹遠屋式

山凹桃柳中安置此屋，
可以盡收遠景。

284

樓殿正面畫法

樓殿側面畫法

樓閣高聳以收遠景畫法

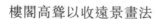

平屋虛亭式

低矮的平房和沒有門牆窗戶的
亭子，點綴在水邊林下，生動
活潑富有情趣。

屋中遠樓式

觀榭危樓式

鄉間村落，常在眾多平房屋脊
中聳起高峻樓閣，可以觀看收
穫莊稼的場景，可以觸摸天上
的雲彩。

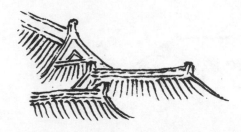

遠露殿脊法

三間交互架構的瓦屋

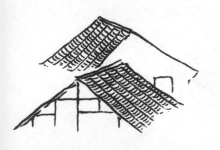

兩間交互架構的瓦屋

茅屋两间平置法

茅屋两间斜置法

茅屋一間畫法

遠望鐘鼓樓式

讀書場館式

石牆園亭式

園居石牆極其簡樸，
而其中亭閣卻極其華
美。

汎地斥堠式

哨樓，畫在江景中最適合。

河房式

村莊茅屋式

畫夏景村莊茅屋時，在靠近窗
戶處的地上應設遮光陰影。

俯江棧閣式

棧閣適合畫在蜀道之中和俯瞰
江水的絕壁之下。

柴門畫法

◎門徑法

畫山中人，不一定非要畫出廳
堂內的情景才能表現人物的閒
雅，要遠在門和小路之外就能
讓人一望而知這是有道之人的
廬舍，令人產生三顧茅廬的想
法。能做到這一點才算是高手。

石疊牆門畫法
亂石塊砌成的虎皮牆門

磚牆門畫法

老樹土牆畫法

修竹柴門畫法

藤柴門扉畫法

柴門爬滿了野藤，石階隱埋在草叢，瓦
片像魚鱗斷錯，牆壁如龜背皴裂。在荒
寂蒼茫中隱含極生動活潑的氣象，只有
王蒙最擅長這種畫法。凡是畫雨景雪景
的可用這種方法。

破筆柴籬畫法

用破舊的筆來畫屋宇顯得非常古雅，
但也只有在一派蒼莽的寫意山水中才適
合，在適當位置用來點綴畫面。

兩正一側屋堂畫法

丁字畫堂法

反露門徑畫法

從門內望門外的門和路的畫
法，但必須四周有樹，層層遮
掩。

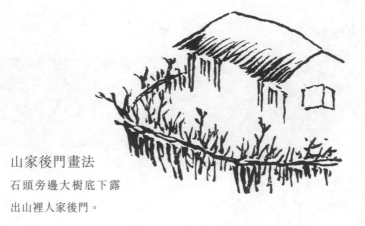

山家後門畫法

石頭旁邊大樹底下露
出山裡人家後門。

◎村野小景法

豆棚式

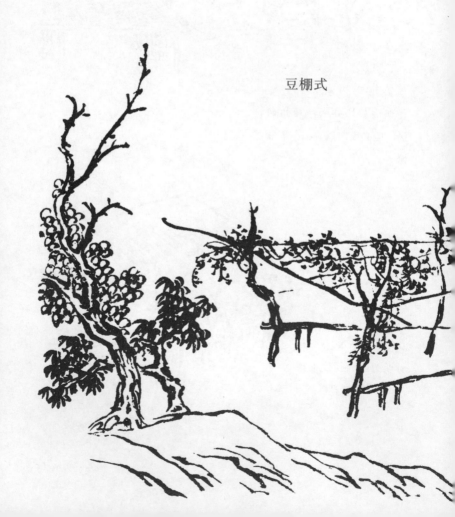

瞭望哨樓式

瓊樓玉宇，固然是神仙所居，而豆棚瓜架的
清幽之地，其情趣也不輸於神仙。所以在樓
台之後點綴村野小景，以此可見作畫更適宜
多在平淡處着眼，不蹈襲不拘泥。凡是天地
間所有的物象，都能被我剪裁入畫。

花架式

水關式

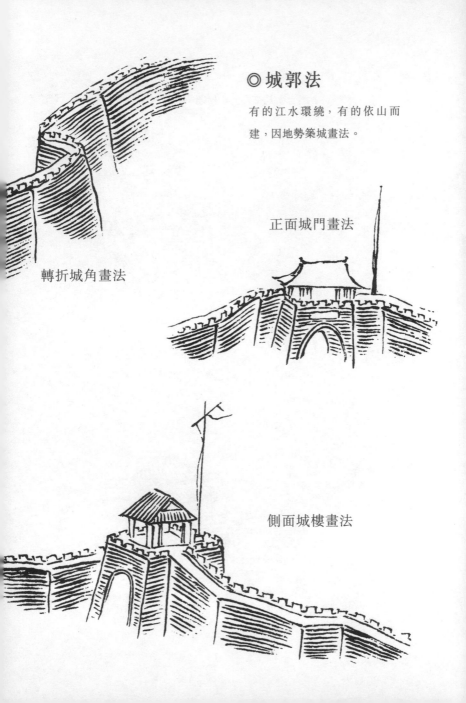

◎ 城郭法

有的江水環繞，有的依山而建，因地勢築城畫法。

轉折城角畫法

正面城門畫法

側面城樓畫法

八面台閣畫法

台上築台極其細緻的小樓閣

工細台閣畫法

工筆細描結頂小樓閣

城門廬舍畫法

周圍房屋擁城

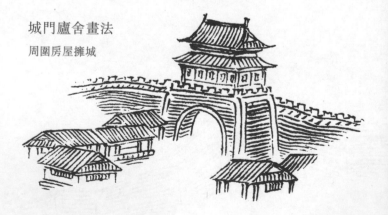

這三種都屬於極細小又極精工的畫法，
細筆山水中可以選擇使用。

城邑門樓式

城邑和門屋全部顯露

寺觀結構式

畫出寺觀和宮殿極
小極細的結構

山門殿宇式

寺觀從山門到大殿
樓閣層層顯露

遠屋脊式

遠村落式

遠望村落，層層勾搭

平居四列式

遠望平居，四面分列

遠望城樓樣式

池館廊廡式

高低呼應，首尾連絡

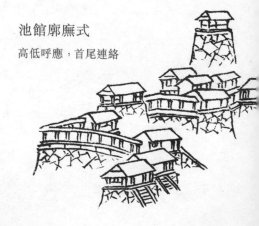

這五種都屬於極細小
而又有結構層次的畫
法。有的隔山相望，
有的對江而望，遠景
可以選擇使用。

304

◎橋樑法

深峻山澗和陡峭崖壁之間用橋樑來接續人氣是必不可少的。凡是有橋的地方，一定有人的活動，不像荒山野嶺那樣。但橋樑的位置安排有宜有忌。石塊薄而多棱，拱形隆起如土山的，是吳越江浙等地的橋樑。橋上架屋並用粗重的石柱來鎮壓，以防湍急的水流沖刷的，是福建廣東一帶的橋樑。更有陡峭高聳的橋，適用於險絕溝壑。用扁薄的石塊橫架起來的平橋，適用於平地沙地。其他可以類推。

吳越橋式

吳山越水適合架設這種橋

林下小橋式

這兩種橋適合設置
在磯頭和林邊

磯頭小橋式

平板桥式

平板橋適合安置在杏
花楊柳之間。

羊板橋樣式

桑林村落，小山平疇之間，居
民隨處橫架的板橋，方便婦女
兒童通行。這不是那種上可以
通馬車下可以行船的大橋。板
橋按照架疊形式的不同，約略
可以分為以下幾種。

蜂腰板橋式

蜂腰橋適合安置在山邊
河畔靠近山腳的地方。

駝峰板橋式

駝峰橋適合安置在近江港汊之
上，水雖小但還是可以行船的。

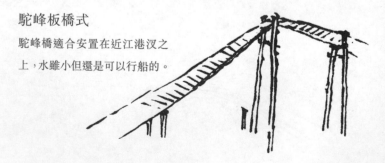

曲板橋式

曲板橋適合架在彎曲流水之
上，因循地勢靠着大石。

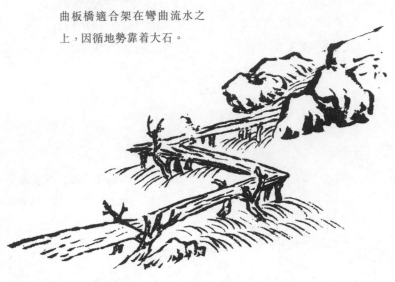

齒缺板橋式

齒缺板橋，適合用在古鎮荒
塘、寒村積雪的畫面中。

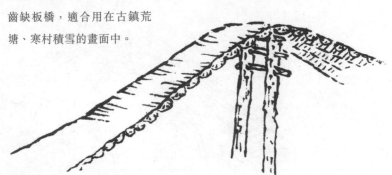

甌閩架屋橋式

浙江、福建沿海一帶，
橋樑上都架有屋宇。

江南橋式

江南地區凡是臨近城郭的地
方，橋面都比較平坦，以方便
車馬通行。

園榭橋式

這種橋適合設置
在園林台榭中。

跨泉架屋式

◎ 水磨水車法

在湍急如奔馬的水上架設水磨，頓時覺得飛流濺沫。可以令借住隱居的山人，驅散機巧之心，而不必全部忘卻世情。凡是作畫構思最要生動，而有了動，畫面自然就活了。

亭覆水車式

亭子下面有水車

井亭式

適合畫在路邊樹下，
以備遊人休息。

桔槔式

秧苗綠滿田間，杏花紅遍，酪
茶飄香，扶老攜幼，一起踩踏
龍骨水車澆灌莊稼，歌聲此起
彼伏。農耕生活的情景，再沒
有比這更動人的了。

◎寺院樓塔法

想要看到遠景，就要築起層疊的高樓，
想要看到層巒疊嶂、千岩萬壑、不同尋
常的景象，必須用高塔，使之看上去有
手可摘星、勢吞山河的氣概。這就是所
說的山勢上的不足，要用人力去補救。
劉松年最喜歡用這種辦法畫遠景。

辟支石塔式

廢塔式

無頂塔式

琉璃八寶塔式

311

月下塔鈴聲聲，霜天寺鐘迴響。萬籟俱
寂中，傳出此等清越的聲音，在空林古
徑中，點綴出一派超脫意象，令人頓生
出世之想。

柵欄寺門式

寺門式

寫意塔式

遠塔樣式

鐘樓式

◎界面台閣法

畫中有樓閣，就好像書法中有《九成宮》《麻姑仙壇記》等精工的楷體。筆意放縱的畫家，往往飄飄然自以為不屑於此等畫法，只要肯畫就一定能超越古人。可真拿起筆來的時候，

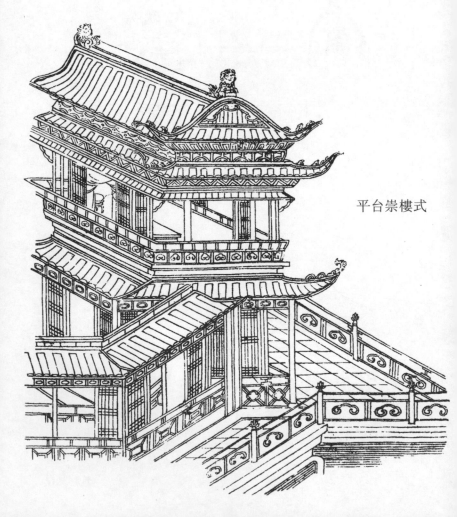

平台崇樓式

多面台閣式

挑角飛檐四面皆正台閣

（接前頁）

十指已拘攣如蚯蚓纏結，躊躇終日不敢妄下一筆。古人中像郭恕先這樣
放達不羈的畫家，以八尺到一丈的長卷，僅僅放筆亂畫幾間屋宇，似乎
完全沒有法度可言。但一旦當他操起界尺，自分寸以至樓台高閣，從樑
椽斗拱乃至檐下防鳥雀的羅網，無不風吹雲動、毫髮畢現，層層疊疊，
恍如身臨其境，其功夫絕非今人可比。由此可見古人必由小心而至於放
縱，未有放縱而不小心的。因此，怎麼能一提到界畫（用界尺作畫）就
指為匠氣，棄置不談呢？界畫就像禪門中的戒律。參禪學佛一定要從戒
律學起，才能終身有所持守，否則容易走入邪路。界畫實在稱得上是畫
家的金科玉律、後學的入門路徑。

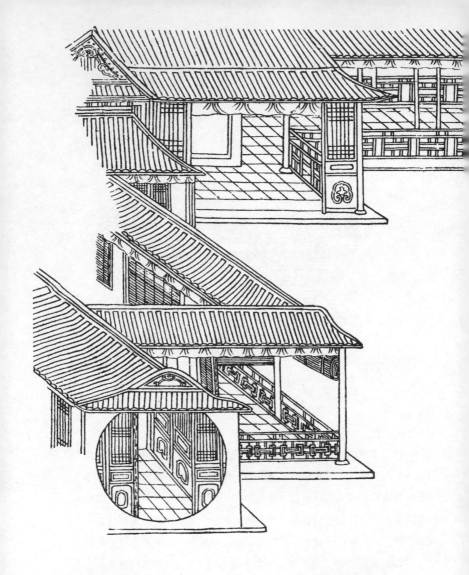

迴廊曲檻宮式

重軒列陛殿式

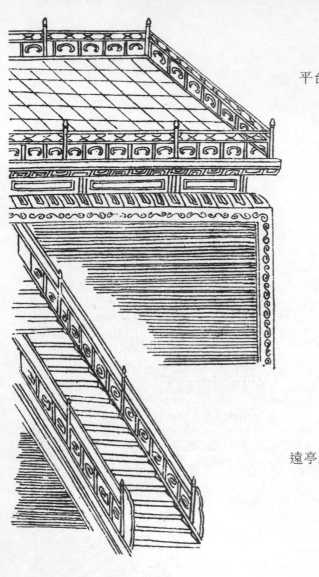

平台式

遠亭式

遠殿式

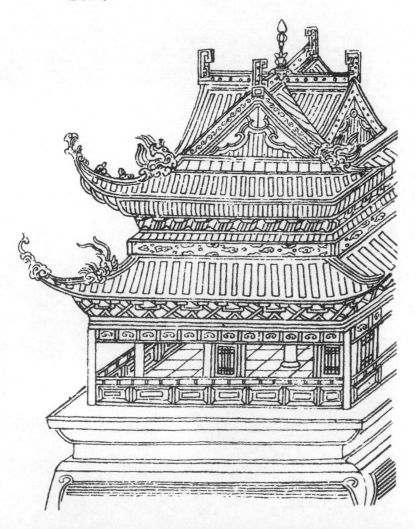

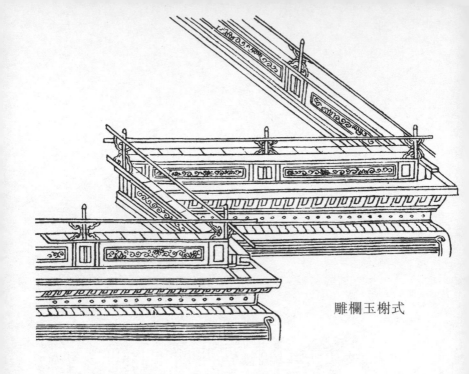

雕欄玉榭式

宮府門第式

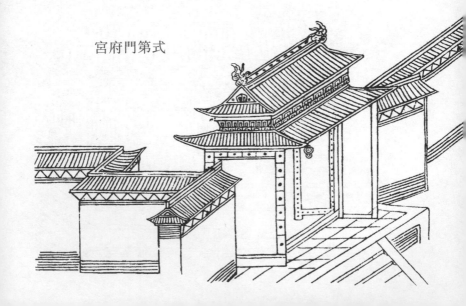

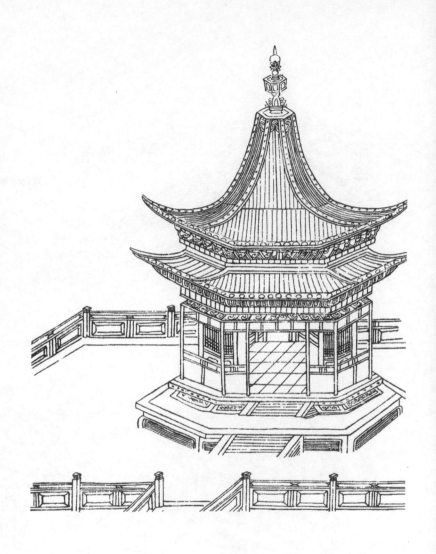

九曲十八面亭式

工細橋樑式

階陛式

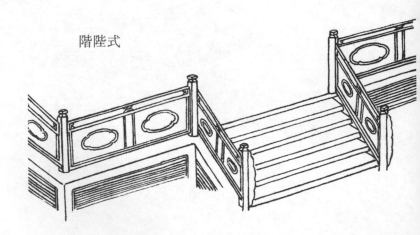

◎舟楫法

泊船

渡船

開船式

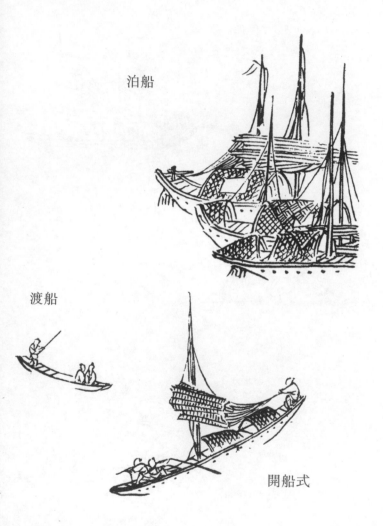

323

雙帆齊掛船

雨景漁艇

載酒船

江船抵岸式

江船

這隻船上行，那隻船下行，有的揚帆，有的撐篙，船夫各用氣力，可以想見長江有上下風向的不同。

捕魚罾網適合畫在平沙叢葦中，與大雁江鷗爭享江汀煙月美景。

捕魚漁船

叉魚漁船

325

峽船

適合畫在川地三峽景中，縴夫用百尺長繩倒挽奔流
江水行船。萬萬不可畫在吳越之地的平波靜水之中。

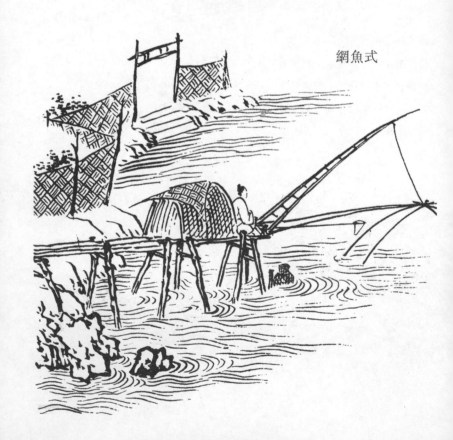

網魚式

湖船

適合畫在波光如練、波瀾不
起的湖面，表現文人們載酒尋
詩的高雅情趣。

櫓船

適合畫在月光之下和
蘆荻叢中，看見它就好
像聽到了漁歌和櫓聲。

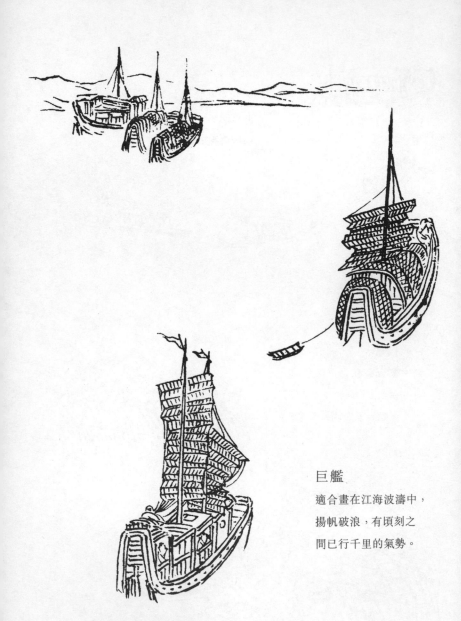

巨艦

適合畫在江海波濤中，
揚帆破浪，有頃刻之
間已行千里的氣勢。

大小風帆船

大小風帆船，供遠景近景選擇使用。

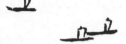

撒網船

渡客船

手持釣竿或擊楫而歌，畫面上不一定非要全部露出船身。只需在蘆葦叢中，垂柳絲下稍作點綴，自有神龍見首不見尾的奇妙效果。但這也要看畫面預留位置的大小。如果預留的位置本就局促狹小，又全被一條船橫亙在那裡，上下塞滿，還有甚麼妙處可言呢？所以漁舟在構圖時，只適宜露出船頭或船尾，使畫面顯得有餘才好。

垂釣式

持竿式

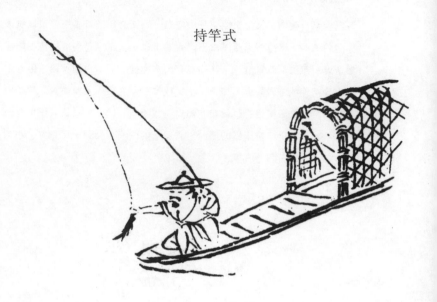

擊楫式

◎几席屏榻法

既已畫亭台樓榭，又怎麼能讓其中空無一物？必須安排桌椅等可以供人休憩的東西。畫這些東西固然不能太過工細，太工則易俗，但也不能漫無法度，無法則雜亂無章。往往見有山水極佳，居處也頗雅致，但其中偶有一兩件配飾器物極不相稱，不免成為白璧之瑕。大體而言，屋子向左傾斜，桌椅床榻也要跟着向左傾斜；屋子向右傾斜，桌椅床榻也要跟着向右傾斜。用桌椅床榻的側面對應屋子的側面，大到一尺見方，小到分寸以內，畫法都是這樣。

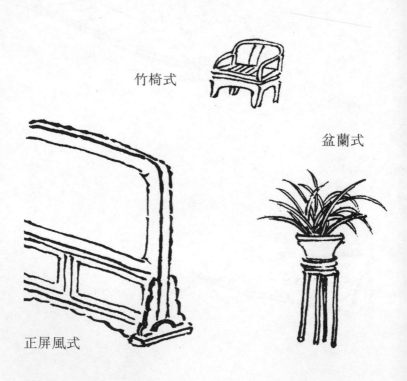

竹椅式

盆蘭式

正屏風式

332

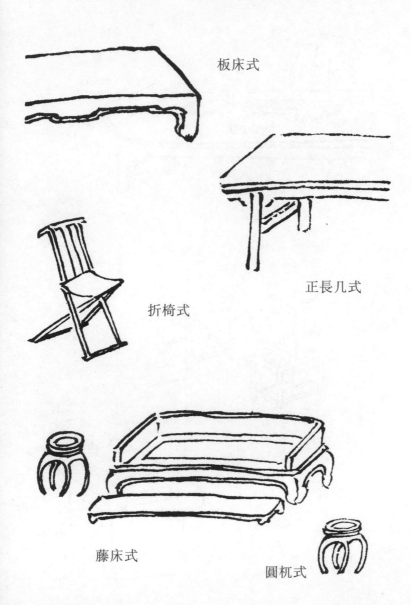

板床式

正長几式

折椅式

藤床式

圓杌式

333

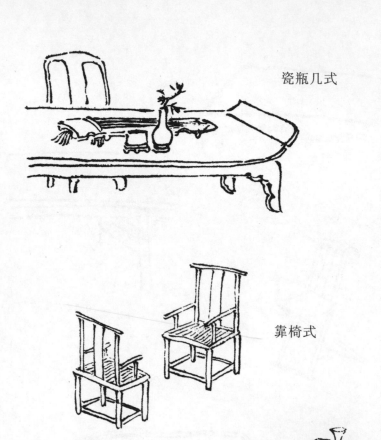

瓷瓶几式

靠椅式

長石書几式

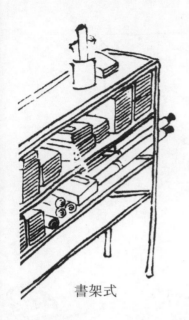

書架式

香几式

架瓶式

側面屏風式

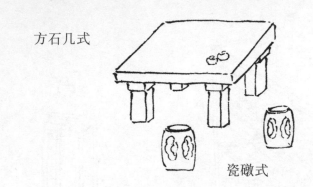

方石几式

瓷礅式

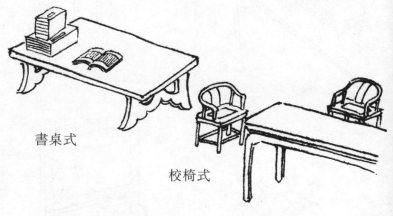

書桌式

校椅式

側長几式

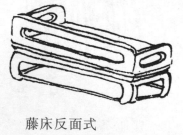

藤床反面式

方几式

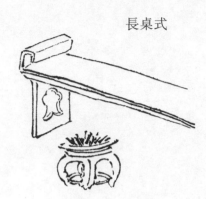

長桌式

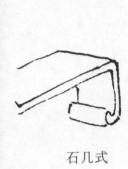

石几式

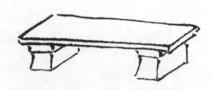

腳榻式

飯桌式

摹仿各家
畫譜

巨然横山圖

夏珪李崆峒詩畫

本色高林噭竦雪霄新晴

濟河日熱浮煙頹峯嶂雪晴潤門深飛瀑晩

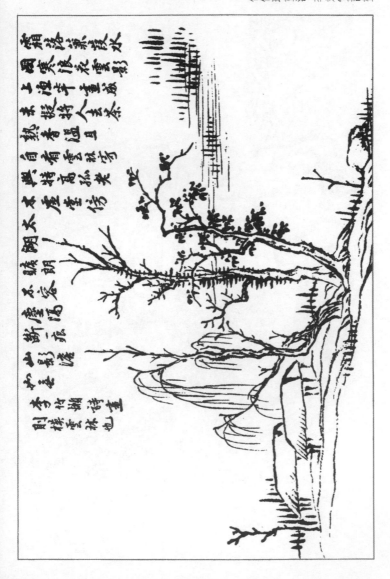

仿黄公望《富春山圖》 蕭雲從畫

346

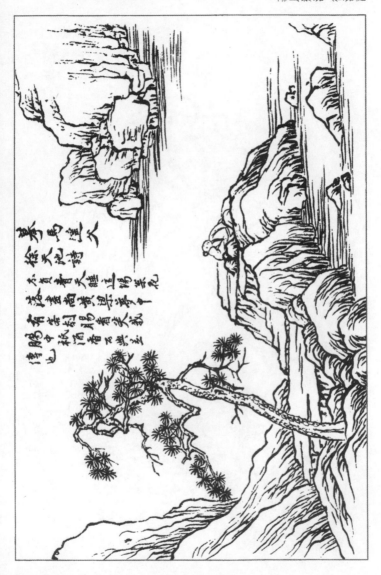

李長衡以品
行詩文重於
世其畫間
稱逸品

沈周《碧梧清暑圖》

沈石田碧梧清暑圖

漸江畫

秋雲颯秋水空冷欲烏詠無
響穿松通音隆當澗凝畫明
坐曉々崖翠落層二白
達天壤邊峯似可登
擬劉松年法

仿劉松年法

胡長伯自
文五峰入手晚
乃幽人林明子
久其筆古質
頗類五代巴
前人

胡長伯畫

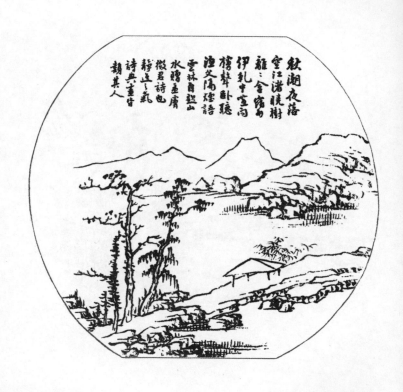

款湖夜落
空江渚曉樹
離離舍窅々
伊軋中宣句
欆聲卧聽
漁父陽崖語
雲林自題山
水鷗正膚
微君詩也
靜々氣
詩與畫皆
趙莫人

倪瓚畫 並詩

郭宗丞畫

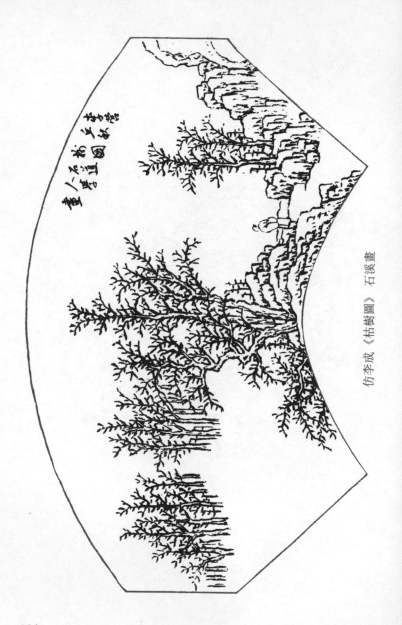

仿李成《枯樹圖》 石溪畫

356

竹寺僧傍湖水落
洞庭何處寺疎鐘
望月方生去晝堂
絕頂人來少堤長
石荒苔古寺木葉
岩樹盡行人少到
西峰已種稀古寺
僧寶閣樹稀偏

范寬畫 周賀詩

357

临黄公望《碧溪青嶂图》 盛伯含画

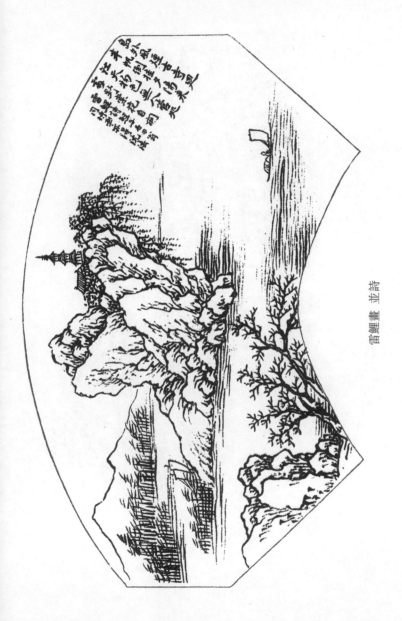

雷鯉書 並詩

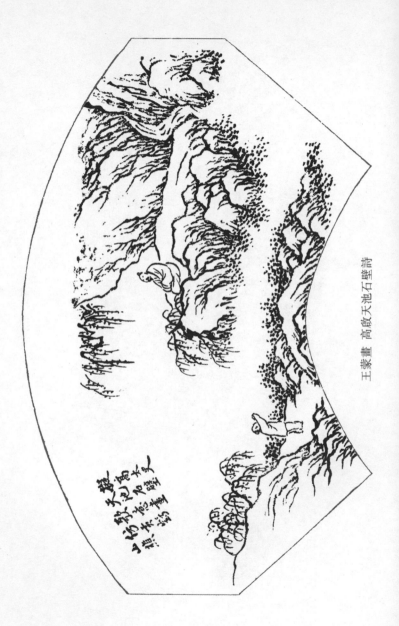

王蒙畫 高啟天池石壁詩

王維畫 並詩

361

增廣名家畫譜

文待詔墨法出於梅
道人神韻中自有
一種靈秀之氣
非攝足人空住塵

時當霜後上清華小葉
山邊作養家地海寒冬
人迷五戶童汪涸陽岳喻
　　雲秌山館舒崖秋記

368

空山積雪撫洪谷子
秀水吳榖祥

369

雨後遙看春山又幾重綠
陰濃更覺萬千秋葉更苦
微寒意吹得身留莫短
邢期水蓮人舒浩研題

370

火晴水已淺橫歌
陌上新秧綠去歲農
事村、興歌修催耕
夏鷹傍人啼舒莩植
并記

371

生計野人足是浮
名達者輕溪
山往来慣鷗
鳥不相驚
梅庵寫

溪橋買醉
做楊西亭
大意梅庵

責任編輯	陳　菲
書籍設計	彭若東
排　　版	周　榮
印　　務	馮政光

書　　名	白話芥子園　第一卷·山水
作　　者	［清］巢勳臨本
譯　　者	孫永選　劉宏偉
出　　版	香港中和出版有限公司 Hong Kong Open Page Publishing Co., Ltd. 香港北角英皇道 499 號北角工業大廈 18 樓 http://www.hkopenpage.com http://www.facebook.com/hkopenpage http://weibo.com/hkopenpage Email: info@hkopenpage.com
香港發行	香港聯合書刊物流有限公司 香港新界大埔汀麗路 36 號 3 字樓
印　　刷	美雅印刷製本有限公司 香港九龍官塘榮業街 6 號海濱工業大廈 4 字樓
版　　次	2020 年 3 月香港第 1 版第 1 次印刷
規　　格	32 開（128mm×188mm）400 面
國際書號	ISBN 978-988-8694-00-6

© 2020 Hong Kong Open Page Publishing Co., Ltd.
Published in Hong Kong

本書中文繁體版由傳世活字國際文化傳媒（北京）有限公司授權出版。